JN214485

ワクワク!!

ローカル鉄道路線

◆著◆ 梅原 淳

南関東広域編

ゆまに書房

もくじ

はじめに

全国に広大なネットワークをもつ鉄道は、それぞれがさまざまな役割を与えられて建設されました。人々が都市と都市との間を高速で移動する目的で整備されたのは新幹線ですし、大都市のJR、大手民鉄、地下鉄各社の路線は、都心部への通勤や通学の足となるためにつくられました。今日では少なくなりましたが、大量の貨物を運ぶためだけの目的で線路が敷かれた路線も工業地帯を中心に健在です。

そのようななか、もともと人があまり住んでいない地域ですとか、過疎化が進んだ地域を行く鉄道も各地で見られます。終点がある程度の規模の都市にあり、途中は人口がまばらなところというのでしたらまだしも、乗っているうちにどんどん人の気配が薄れていく路線も少なくありません。

もちろん、こうした路線も立派な役割を担って建設されました。交通の便が悪かった地域に鉄道を敷いて人々や物資の移動に役立てると同時に沿線の開発や振興を図るとか、沿線で産出される品々を大都市に出荷するためであるといった目的です。しかし、いま、ローカル線と呼ばれる鉄道の多くは、計画されていたときの役割を果たせなくなってしまいました。時代の変化に伴って果たすべき事柄が消えてしまったのです。沿線の開発や振興は成し遂げられ、人々や物資の移動はより小回りの利く自動車に取って代わったからといえるでしょう。

本書では全国を「北海道・北東北」「南東北・北関東」「南関東広域」「北陸・信越・中部」「関西」「中国・四国・九州・沖縄」の6つの地域に分け、ローカル線を紹介することとしました。取り上げるにあたっては3つの点を重視しています。

まずは今後の動向です。近い将来に営業が廃止されるような予定や動きが見られる路線は、やはり優先的に取り上げました。

続いては旅客や貨物の輸送量です。少々専門的となってしまいますが、その路線の1kmにつき、1日当たりどのくらいの人数の旅客やトン数の貨物が通過しているかを基準としました。原則として旅客は4000人未満、貨物は4000トン未満の路線から選んでいます。

最後は路線のもつ特徴から判断しました。旅客や貨物の通過量が少ない点に加えて、たとえば、険しい峠越えが待ち構えているとか、延々と海沿いに敷かれているとか、ほかの路線にはない際立った特徴をもつ路線はやはり紹介しなければなりません。

全線を通じて見れば旅客や貨物の通過量が多く、ローカル線とは考えられないものの、全国には同じ路線内でも一部の区間だけ極端に旅客や貨物の通過量が少ない路線が数多くあります。概してこのような区間は非常に際立った特徴をもつといえますので、できる限り紹介しました。

本巻では埼玉県、東京都、千葉県、神奈川県の南関東地方、それから山梨県の全域、静岡県の一部を通る路線を対象とし、合わせて南関東広域として紹介しました。南関東広域は全国的に見ても人口密度が高いため、旅客輸送密度の大きな路線が多く、他巻のように4000人未満という尺度では対象とする路線が少なくなりすぎてしまいます。そこで、旅客輸送密度が4000人以上の路線も含めることとしまして、紹介の際にはなぜ取り上げたかを記すよう努めました。矛盾したことをいいまして恐縮ながら、本書で紹介した路線の数々が今後変貌を遂げて、ローカル線でなくなることを祈りたいと思います。

梅原 淳

凡例

○本書で紹介した各路線についての状況は、2018（平成30）年4月1日現在のものです。ただし、旅客輸送密度は2015（平成27）年度の数値となります。旅客輸送密度の求め方は「年間の輸送人員×旅客1人当たりの平均乗車キロ÷年間の総営業キロ」です。

○文中で「橋りょう」とは、鉄道の構造物で川や海などの水場、それから線路、道路などを越えるもののうち、川や海などの水場を越えるものを指します。

○こう配の単位のパーミルとは千分率です。水平に1000ｍ進んだときの高低差を表します。

01

JR東日本

鶴見線

鶴見～扇町間、浅野～海芝浦間、武蔵白石～大川間

[営業キロ] 9.7km

[最初の区間の開業] 1926(大正15)年3月10日／弁天橋～浜川崎間、武蔵白石～大川間
[最後の区間の開業] 1940(昭和15)年11月1日／新芝浦～海芝浦間
[複線区間] 鶴見～浜川崎間、浅野～新芝浦間
[電化区間] 鶴見～扇町間、浅野～海芝浦間、武蔵白石～大川間／直流1500ボルト
[旅客輸送密度] 1万4195人

都会の中のローカル線

鶴見線はJR東日本東海道線の鶴見駅を起点とし、神奈川県川崎市川崎区にある扇町駅までの7.0kmを中心に、浅野駅と海芝浦駅との間1.7km、武蔵白石駅と大川駅との間1.0kmの2本の支線が枝分かれする路線です。元は浅野財閥の一員であった鶴見臨港鉄道という私鉄の路線で、太平洋戦争中の1943(昭和18)年7月1日に国有化されて鶴見線となりました。

主な利用者は沿線に多数ある工場で働く人たちで、朝7時台の鶴見駅では5分間隔で列車が発着します。でも朝夕の通勤ラッシュ時

○鶴見線ではJR東日本の通勤形直流電車が3両編成で用いられる。写真左は現在活躍中の205系で、写真右の103系はいまは見ることはできない。*

1930年に開業した当時の国道駅。高架下の暗い空間を白い壁で少しでも明るく見せようという努力がうかがえる。

現在の国道駅は開業当時とほとんど変わりがない。アーチ形の橋脚はいま見ても新鮮なデザインだといえる。

以外に利用する人はあまりいません。旅客輸送密度は1万人を越えていますが、訪れる日時によっては「都会の中のローカル線」といってよいでしょう。

起点の鶴見駅は、東海道線を走る京浜東北線の電車が発着する地平の上ではなく、1フロア高い高架上にあります。私鉄として開業した名残で、鶴見駅では鶴見線の線路は東海道線など他の路線とは結ばれていません。プラットホームは、2本の線路を挟むように配置され、線路の終端に設けられた車止めの先でコの字型につながった頭端式です。日中は鶴見線専用の改札口のある3番線のみ使っていますが、朝のラッシュ時には4番線も使用しています。

私鉄であった名残は各所に見られます。例えば、急カーブが多いこと。工場に囲まれた狭い埋立地を走るため、曲線半径160mという在来線では最も急なカーブが複数あります。有名なものが、武蔵白石駅構内にある大川駅への支線に分岐する地点の曲線です。このカーブも半径160mで、以前はここに大川方面行きのプラットホームがありました。しかし、カーブが急すぎて現代の車両ではプラットホームとの間隔が広くなりすぎて危険なため、いまはプラットホームはありません。鶴見方面から来た大川行きの旅客列車は、安善駅を出発すると武蔵白石駅の直前でカーブして、停車することなく大川支線に入っていきます。

昭和時代の風景があちこちに残っていることも、大きな特徴です。特に、鶴見駅の隣にある国道駅は、1930（昭和5）年10月28日に開業したときの姿をほぼそのままとどめています。高架下の改札口付近は薄暗く、モノクロ映画の世界に迷い込んでしまったような雰囲気です。駅入口の横には、米軍による銃撃の跡も残っています。ほかにも、開業当時の姿を残している駅は多数あり、海芝浦支線の新芝浦駅は1931（昭和6）年10月、安善駅は1929（昭和4）年6月に完成した駅舎がいまも使われています。

安善駅の駅名は、このあたりの埋立地を造成した安田財閥の創始者・安田善次郎に由来します。鶴見線には人名に由来する駅がいくつもあり、浅野駅は鶴見線を建設した浅野財閥の創業者・浅野総一郎から、武蔵白石駅は周辺に工場があった、いまのJFEホールディングスの創業者・白石元治郎に由来します。

キャプションに*印がついている写真は、ピクスタ提供によるものです（以下同）。

○窓は埋められたものの、新芝浦駅の駅舎も1931年に建てられたときのイメージをいまに伝える。*

○安善駅は安田善次郎を縮めて命名された。広々とした構内では米軍横田基地向けのタンク車が出発を待つ。*

安善駅周辺の住宅地は、かつての浅野財閥の一員、浅野セメント（現・太平洋セメント）の社員住宅であった町です。その中心には、浅野セメントの従業員専用浴場をルーツにもつ銭湯・安善湯がいまも営業を続けています。円形の浴室の中心に、円形の浴槽があるモダンなデザインで、昭和初期の浴場文化を体験できるスポットとして人気を呼んでいます。

安善駅にはもう一つ、米軍の石油輸送の拠点という顔もあります。プラットホームの向こうに並ぶ数多くのタンク車は、すべて米軍の横田基地にジェット燃料を運ぶための貨車です。駅の南側に在日米軍の石油備蓄施設があり、ここから南武線、武蔵野線、再び南武線、青梅線を経由して米軍横田基地に近いJR東日本青梅線の拝島駅まで、ジェット燃料を輸送する貨物列車が週2回程度運行されています。

個性あふれる駅がいくつも存在

安善駅から終点・扇町駅方面へは、鶴見線の線路と貨物列車用の線路とが並走しています。最も鶴見線らしい姿を見せるのが、浜川崎駅です。尻手駅からの南武線の支線との接続駅ですが、乗り場は道路を挟んで向かい合っていて、乗り換えるにはいったん駅の外に出なくてはなりません。また浜川崎駅は、鶴見方面、扇町方面、尻手方面をはじめ、東海道線の貨物線の東京貨物ターミナル駅方面と、4方向の線路が集まっているのも特徴です。頭上には、安善方面と東京貨物ターミナル駅方面とを直結するために築かれた高架橋が架け渡されていますが、いまは使われていません。浜川崎駅の東側には、貨車を連結したり待機させたりする、仕分線と呼ばれる線路が10本以上並んでいます。

浜川崎～扇町間は単線区間となりますが、線路は2組並んでいるので複線のように見えます。もう1組の線路は浜川崎駅で合流した貨物線で、終点・扇町駅には旅客ホームよりも何倍も広い貨物ヤードが広がっています。駅には数匹の猫が住み着き、地域の人々が面倒を見ています。

旅客列車の発着する扇町駅は工場に囲まれ

○駅名のとおり、まさに海の中にたたずむ海芝浦駅。夏の夕暮れには涼しい風が心地よい。

た小さな駅ですが、駅から西南西に400mほど行ったところにはJR東日本の川崎火力発電所があります。JR東日本は、日本の鉄道会社としては唯一、本格的な発電所を4カ所所有しており、首都圏の路線の運行に必要な電力の大部分を自社で発電しています。

浅野駅から分岐する支線の終点・海芝浦駅は、プラットホームのすぐ下に海（京浜運河）が迫る、「海にいちばん近い終着駅」です。鶴見つばさ橋のほか、大黒ふ頭や横浜ベイブリッジも見渡せます。一方で、この駅は東芝の事業所内にあるため、駅の敷地から外に出ることができません。その代わり、線路終端の先に小さな「海芝公園」があります。ここも本当は東芝の敷地ですが、駅を訪れた人のために、東芝が整備して一般の人々に開放しています。

もう一つの支線、大川支線は、電車の本数が極端に少ないことが特徴です。朝8時台の電車の次は、なんと夕方16時台。休日には1日3本しか列車がありません。それでも、平日の朝夕は工場への通勤客でとても混雑します。昭和初期の風景を残す駅や、外に出られない海岸の駅……。鶴見線は、個性あふれる駅が待つ、身近なローカル線です。

○通称、大川支線の終点、大川駅。工業地帯の真ん中にいかにもぽつんと建つ駅舎が特徴だ。線路上の電柱は架線だけでなく、沿線の工場に送られる高圧電力の電線を支える役割も果たす。

JR東海

御殿場線

国府津～沼津間　[営業キロ] 60.2km

[最初の区間の開業] 1889（明治22）年2月1日／国府津～沼津間
[最後の区間の開業] —
[複線区間] なし
[電化区間] 国府津～沼津間／直流1500ボルト
[旅客輸送密度] 7138人

かつては日本の大動脈であった路線

箱根の山をぐるりと迂回するように走る御殿場線は、日本の鉄道史とともに歩んできたローカル線です。開業は1889（明治22）年2月1日のことで、当時は東海道線の一部でした。神奈川県と静岡県の県境をまたぐ箱根山は伊豆半島にまで張り出し、明治期の鉄道技術では熱海から沼津に抜ける鉄道を建設するのは困難でした。そこで、国府津から箱根山の北にある御殿場を迂回するルートが取られました。

1934（昭和9）年12月1日、熱海～函南間に丹那トンネルが開通し、小田原～熱海～沼津間が全通。東海道線はそちらに移り、従来のルートは御殿場線に変わりました。その後、複線であった線路は単線となり、普段は2～3両編成の電車が走っていますが、多くの駅

山北駅の沼津駅寄りの線路脇には多数のソメイヨシノが植えられ、春になると見事な花を咲かせる。山北～谷峨間

○御殿場線の普通列車にはJR東海の313系3000番台電車が用いられる。蒸気機関車時代には急坂に苦しめられていたが、パワフルな電車は軽やかに走り抜けていく。国府津～下曽我間*

○山北鉄道公園に保存されているD52形70号機。かつて御殿場線で活躍したこの蒸気機関車は半世紀以上の時を経て復活するという。*

が、長大編成の列車が停車できる有効長（長さ）200m以上のホームを備えているところに、昔日の面影が感じられます。

国府津駅を発車して、東海道線と分かれた電車は、右に足柄山地、左に酒匂川がつくった平野を見ながら、酒匂川の左岸をまっすぐ北上します。天気が良ければ、箱根山の向こうに富士山もよく見えます。松田駅の手前で、右手から合流してくる線路は小田急電鉄小田原線からの連絡線。小田急ロマンスカー「ふじさん号」がここを通って御殿場線に乗り入れています。

山北駅から箱根山の峡谷が迫る山越え区間に入ります。かつては急こう配を登るための補助機関車が連結された駅で、駅構内に機関庫があるなど、鉄道で栄えた町でした。機関庫の跡は山北鉄道公園となって、ここで活躍したD52形70号機が保存されています。この機関車は、1968（昭和43）年に引退して以来、この公園で静態保存されてきましたが、2016（平成28）年、多くの人の努力によって機関車の再整備と線路の延長が実現。圧縮空気によって12m動く動態保存が実現しました。線路を120mほどに延伸する構想もあります。

いまは山あいの静かな町となった山北ですが、毎年春には多くの行楽客でにぎわいます。御殿場寄りの掘割区間は、線路の両側に約130本のソメイヨシノが並び、春には美しい桜のトンネルが見られるのです。

山北～谷峨間は両側に山が迫る深い渓谷を登る区間。右に左にカーブをしながら、徐々に高度を上げていきます。電車からは見えませんが、山北駅から2つ目のトンネル、箱根二号トンネルの上には小さな神社があります。線守稲荷神社と呼ばれるこの神社には、こんな伝説があります。

1889年、現在の御殿場線が建設された当時、鉄道トンネルの工事でキツネの住処が壊されてしまいました。列車が走り始めると、赤いカンテラを振る人や、髪を振り乱した女の人といった不思議な幻が、列車から何度も目撃されました。ある日、山北に差しかかった列車の機関士が線路の上に寝そべる牛を見つけましたが、また幻だろうと思ってそのまま走り続けました。すると、機関車が何かに

単線に戻された際に廃止となった、箱根第二号トンネル上に建立された正一位線守稲荷神社。山北～谷峨間　許可を得て著者撮影

ぶつかり、あわててブレーキをかけて確かめると、線路脇で1匹のキツネが死んでいました。

トンネル工事を行った親方は、工事でキツネの住処を壊してしまったことを思い出し、山北機関区と相談してトンネルの上に祠をつくりました。京都・伏見の稲荷神社からお札を受けた祠は、「正一位線守稲荷神社」と名づけられ、盛大に祭礼を行ったところ、不思議な現象はなくなったそうです。この神社は、いまでも線路の安全を守る神社としてJR東海の御殿場工務区長が祭主を務め、毎年4月には祭礼が行われています。

御殿場駅からはいよいよ富士山が見えてくる

線守稲荷の先では、狭い谷を酒匂川が蛇行し、次の谷峨駅までの間に3度も鉄橋を渡ります。2番目の酒匂川第二橋りょうには、川の中に2基の橋脚が建てられているのがわかるでしょう。これは明治時代の開業当時から使われているもの。複線分の幅がある立派なレンガづくりの橋脚で、沼津駅に向かって左側には線路を1組撤去した跡が残ります。このあたりには、ほかにもいまは使われなくなったトンネルなどがあります。実は御殿場線は、東海道線であった時代には複線でした。しかし、資材の少ない戦時中に山陽線の由宇～柳井間を複線とした際、御殿場線は単線となり、外されたレールなどは山陽線で使用されました。こうした跡は一瞬で通り過ぎてしまいます。山北～谷峨間は4kmほどなので、歩いて線守稲荷神社や東海道本線の遺構を観察してみるのもおすすめです。

御殿場線にはかつて複線であった面影が各所に残る。写真の酒匂川第二橋りょうもその一つ。線路や橋げたは取り外されたものの、橋脚はいまも残っている。山北～谷峨間　著者撮影

駿河小山駅に着くころには箱根山の峡谷を抜けますが、上りこう配はむしろここからが本番。約10kmにわたって25パーミル前後の急こう配が連続し、登り切ったところが標高455mの御殿場駅です。ここを峠に下りこう配となり、港町の沼津駅までの約25kmをひたすら下っていくことになります。

御殿場駅からは、車窓右手に富士山がよく見えます。2つ先の富士岡駅は、その名のと

○今日の御殿場線で華やかな存在は小田急電鉄小田原線と直通して新宿〜御殿場間を結ぶ特急「ふじさん」だ。車両は小田急電鉄の60000形電車が用いられる。足柄〜御殿場間*

おり富士山がよく見える丘に位置する富士山展望のハイライトです。急こう配の途中にあるため、1968年までは平坦(へいたん)な引上線に乗り場を設けたスイッチバック方式の駅で、引上線の跡は富士山を見晴らす「富士見台」として開放されています。ここからの富士山はまさに絶景。富士岡駅では電車の行き違いで視界が遮られることも多いので、時間が許すなら途中下車をしてみましょう。駅から15分ほど歩いたところには、富士山の噴火によってできた溶岩洞窟「駒門風穴(こまかどかざあな)」があり、富士山がつくり上げた自然と歴史とを手軽に知ることができます。

次の岩波(いわなみ)駅も、かつてスイッチバックであった駅です。こちらは引き上げ線の跡に立つことはできませんが、線路脇の高台として残り、わずかな距離で大きな高低差が生じる御殿場線の急こう配を実感できます。

富士岡駅から岩波駅にかけては、車窓に広がる富士山だけでなく、その手前に広がる斜面にも注目しましょう。遮るもののない斜面

○富士見台から富士岡駅の構内を見たところ。平坦に見える線路は実は25パーミルのこう配区間にあり、写真左の遊歩道が実は平坦区間であった。 著者撮影

が富士山頂から御殿場線の線路まで、なだらかに続いていることを観察できます。御殿場線は、「富士山がよく見える」のではなく、「富士山の一部を走っている」ことがよくわかります。

裾野(すその)駅付近からは、左に箱根の外輪山(がいりんざん)、右に愛鷹山(あしたかやま)を見ながらどんどん下ります。東海道線時代は三島(みしま)駅を名乗った下土狩(しもとがり)駅を出発すると東海道新幹線の高架橋をくぐり、周囲はすっかり住宅街となって、終点・沼津駅に到着します。

03

西武鉄道

西武秩父線

吾野～西武秩父間 [営業キロ] 19.0km

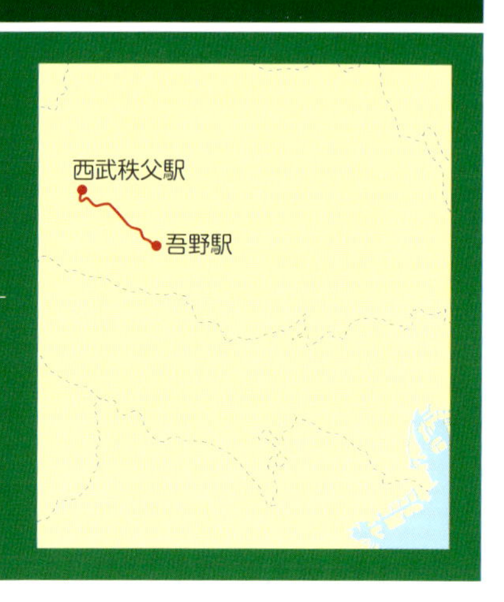

[最初の区間の開業] 1969（昭和44）年10月14日／吾野～西武秩父間
[最後の区間の開業] ―
[複線区間] なし
[電化区間] 吾野～西武秩父間／直流1500ボルト
[旅客輸送密度] 14万5322人（池袋線を含んだ数値）

山々をぬうように進む山岳路線

本巻では険しい山々に挑む山岳鉄道の数々も紹介しています。JR東海の御殿場線や箱根登山鉄道の鉄道線、富士急行の大月線は全国的に見ても有数の山岳鉄道といえるでしょう。そのようななか、埼玉県飯能市の吾野駅と同じく埼玉県の秩父市の西武秩父駅との間の19.0kmを結ぶ西武鉄道の西武秩父線も本格的な山岳路線です。周囲にそびえる山々の切り立つさまは、本編で取り上げた路線のなかでも一番かもしれません。

西武秩父線の正式な起点は吾野駅です。しかし、大多数の列車はこの駅で接続している同じく西武鉄道の池袋線に乗り入れ、吾野駅を始発、終点とする列車はほとんどありません。普通列車は池袋線の飯能駅を始発、終点として西武秩父駅との間を行き来します。特急や快速急行、急行といった列車は池袋線の起点である池袋駅方面を始発、終点とするものがほとんどです。なかには西武鉄道と相互直通運転を行っている東京地下鉄、東京急行電鉄、横浜高速鉄道を経由して、元町・中華街駅を発着する列車もあります。

○西武秩父線の起点、吾野駅。休日になると、顔振峠めぐりをはじめとするハイキング客でにぎわう。*

○正丸トンネルの手前に設けられた正丸駅。西武秩父線ではこの駅までが埼玉県飯能市にあり、次の芦ヶ久保駅、横瀬駅は同県横瀬町、西武秩父駅は同県秩父市となる。

○毎年1月上旬から2月下旬にかけて、芦ヶ久保〜横瀬間では幅200m、高さ3mにも達する「あしがくぼの氷柱」が姿を現す。その横を通り抜ける列車との取り合わせは見どころの一つとなっている。*

吾野駅は高麗川が形づくった狭い谷間に設けられた駅で、四方を見渡しても山また山です。標高185mのこの駅はハイキングコースの拠点となっています。なかでも人気のコースは顔振峠めぐりです。茶屋が建ち並ぶこの峠からは奥秩父の山々や遠く富士山まで見渡すことができ、その眺めは奥州平泉へと逃げ落ちた源義経一行も見とれたという伝説が残っています。

西武秩父線の列車は吾野駅を出ますと、すぐに25パーミルの急坂を登らなくてはなりません。うねうねと蛇行する高麗川に沿っていきますのでカーブもきつく、カーブの半径は最も急なところで300mとなります。

急こう配、急カーブの連続で西吾野駅を過ぎ、そして次の正丸駅に普通列車は到着しました。正丸駅を出ますと右にカーブし、トンネルに入ります。長さ4811mの正丸トンネルです。このトンネルの中はいままでと異なりまして、上り坂のこう配は15パーミルへと緩和され、急カーブは姿を消してほぼ一直線に進みます。

正丸トンネルの入口付近から途中までは、いままでの道中と同じように単線です。ところが、トンネルに入って2km過ぎたあたりのほぼ中間地点でトンネルの幅が広くなり、複線となります。正確には正丸トンネルの内部で列車同士の行き違いを行うための正丸トンネル信号所です。西武秩父線は途中に設けられた西吾野、正丸、芦ヶ久保、横瀬の4駅すべてで列車同士が行き違いできます。それでも正丸〜芦ヶ久保間は6.1km離れているので、列車をたくさん運転することを考えて正丸トンネル信号所が設けられました。

線路は正丸トンネル信号所を過ぎますと下り坂となります。正丸トンネルを出ても下り坂は1kmほど続き、平坦になったと思ったら芦ヶ久保駅です。駅前には道の駅、果樹公園あしがくぼがあります。その名のとおり、ここでは駅の周辺で取れた果物が販売されており、夏であればブドウ、冬であればイチゴを中心に味わえるでしょう。駅から歩いて15分ほどのところにはあしがくぼ渓谷国際鈞場ですとか、あしがくぼキャンプ場があり、豊かな自然に恵まれた西武秩父線沿線のなかでも一大レジャー拠点です。

芦ヶ久保駅を出発した普通列車が短いトンネルを4つくぐって出ますと、いままでとは打って変わって盆地のなかを走ります。周囲は田園地帯かというとそうではありません。列車の右側には三菱マテリアルの横瀬工場が広がっており、急に大都市となってしまいました。やがて普通列車は線路が多数敷き詰められた中を走るようになり、横瀬駅に到着します。

貨物輸送から観光路線へと変化

西武鉄道が1969（昭和44）年10月14日を期して、西武秩父線全線を一気に開業させた理由はさまざまです。まず、秩父盆地に開けた埼玉県秩父市と東京の都心部とを鉄道で直結して、秩父市の発展や観光客の便を図ろうというものがあげられます。そして、もう一つの大きな目的は、横瀬駅の近くで産出された石灰石、それから石灰石を原料として近隣の工場で製造されたセメントを運ぶというものでした。

○開通初日、1969年10月14日の西武秩父駅。駅前にはハイキング客の姿が目立つ。 朝日新聞社提供

列車が芦ヶ久保駅を出て横瀬駅に近づいたら左側を注目してください。左右に広く、しかも斜面が切り立った武甲山（ぶこうさん）に気づくでしょう。標高1304mのこの山の頂上付近を見ますと、ここだけなぜかはげ山となっていて、しかも緩やかな斜面となっています。実は今日の武甲山は自然の力によってこのような姿となったのではありません。この山で石灰石が産出されることから、山が削られていったのです。そして、産出された石灰石の大多数は西武秩父線の貨物列車で運ばれました。また、石灰石は先ほど通った三菱マテリアル横瀬工場でセメントになり、同じように西武秩父線によって輸送されています。

最盛期には年間約500万トンの石灰石やセメントを西武秩父線の貨物列車は運んでいました。しかし、石灰石やセメントの輸送手段はトラックへと変わります。このため、西武秩父線の貨物列車は1996（平成8）年3月で姿を消し、いまは見ることはで

○西武秩父線からの車窓の眺めのポイントの一つの武甲山。石灰石が産出されるため、山頂付近が削り取られてしまっている。

○西武鉄道は池袋～西武秩父間に観光列車の「52席の至福」を運転中だ。この列車は「西武 旅するレストラン」というコンセプトをもち、車内で食事をしながら西武秩父線の旅を楽しめる。

○西武秩父線で使用される西武鉄道の4000系電車。普通列車用ながらクロスシートや便所を備え、長距離の利用に対応している。*

きません。

横瀬駅を出発しますと普通列車は大きく左に曲がり、次は右にカーブしながら短いトンネルに入ります。トンネルを出ると秩父市の市街地となり、終点の西武秩父駅に到着です。

西武秩父駅では秩父鉄道の秩父本線と線路が隣接して敷かれています。西武秩父線と秩父本線との間は西武秩父駅構内で線路が結ばれているので、列車の行き来が可能で、現在は西武秩父線の列車が秩父本線に乗り入れています。双方の線路は南北に敷かれていて、秩父本線三峰口駅方面に乗り入れる西武秩父線の列車は西武秩父駅に停車した後、向きを変えて南へと進み、秩父本線長瀞方面の列車は西武秩父駅の手前で秩父本線に入って北上を続け、西武秩父駅には停車しません。

週末になると多数の観光客が利用する西武秩父線に2016（平成28）年4月から新たな観光列車「西武 旅するレストラン 52席の至福」が登場し、西武秩父駅と池袋駅、西武新宿駅との間を結んでいます。列車名どおり、キッチンの付いた車両が連結され、著名なシェフが腕によりをかけた料理を味わいながら、西武秩父線の旅を楽しめるという列車です。

04

箱根登山鉄道

鉄道線

小田原～強羅間 [営業キロ] 15.0km

[最初の区間の開業] 1919（大正8）年6月1日／箱根湯本～強羅間
[最後の区間の開業] 1935（昭和10）年10月1日／小田原～箱根湯本間
[複線区間] なし
[電化区間] 小田原～箱根湯本間／直流1500ボルト
箱根湯本～強羅間／直流750ボルト
[旅客輸送密度] 9233人

スイスを模範とした本格的な登山鉄道

「箱根の山は天下の嶮」と歌にも歌われたように、箱根山は昔から東海道の難所でした。この箱根の山を登る鉄道が箱根登山鉄道鉄道線、通称箱根登山電車です。明治時代、鉄道が開通して栄えた小田原を見た箱根の人々が誘致した鉄道で、箱根湯本～強羅間の開業は1919（大正8）年。急こう配や急カーブ、3カ所連続のスイッチバックなど本格的な登山鉄道ながら、開業は小田急電鉄よりも先でした。建設にあたっては、山岳国であるスイスの登山鉄道を参考にしており、それが縁となって現在もスイスのレーティッシュ鉄道と姉妹鉄道提携を結んでいます。

箱根登山鉄道鉄道線は、箱根湯本駅を起点とするイメージが強いのですが、実際の起点は小田原駅です。しかし、小田原～箱根湯本間は、小田急電鉄の電車しか走っていません。線路の幅も、箱根湯本～強羅間が新幹線などと同じ1.435mであるのに対し、小田原～入生田間はJRの在来線や小田急電鉄と同じ1.067mです（入生田～箱根湯本間は後述）。箱根登山鉄道が所有する電車はすべて1.435m

入生田駅で行き違いを実施する、いずれも小田急電鉄から乗り入れたロマンスカー。線路は箱根登山鉄道、小田急電鉄双方の車両が走行できるよう三線軌条となっている。*

鉄道線の起点、小田原駅のプラットホームからは小田原城を見ることができる。*

○鉄道線に2014年から走り始めた最新鋭の車両、3000形電車「アレグラ号」が紅葉の中を駆け抜ける。*

用であるため、小田原駅まで行くことができないのです。以前は、小田原～箱根湯本間は3本の線路を敷いて1.435m用、1.067m用双方の電車が走れる三線軌条でした。しかし、いまは車庫のある入生田駅と箱根湯本駅との間に縮められ、小田原～箱根湯本間はより多くの人を運べる小田急電鉄の電車だけが営業を行っています。

小田急電鉄の電車に乗って標高14mの小田原駅から旅に出るとすぐに、左前方に見えてくるのは小田原城の天守です。小田原城は戦国時代、北条氏康ら北条氏が支配した城。1590（天正18）年には、豊臣秀吉による小田原征伐の舞台ともなりました。

最初のトンネル、小峰トンネルを抜けると前方に箱根の山が見えてきます。手前に見える低い山が石垣山で、小田原征伐の際秀吉が本陣を置いた場所です。北条氏は降伏か戦うかで延々と議論を続け、いつまでも結論が出ないという意味の「小田原評定」という言葉が生まれました。

石垣山の手前で右に大きくカーブした電車は東海道新幹線の高架橋をくぐり、早川に沿って山を登り始めます。3つ目の入生田駅は、車両基地を併設した駅。先ほども説明したようにここから箱根湯本駅までは三線軌条区間で、特に一般にポイントと呼ばれる分岐器は3本の線路が複雑に入り組んでいます。

標高96mの箱根湯本駅では、すべての列車が乗り換えです。ここからは左右のレールの幅だけでなく架線を流れる直流の電気の電圧も1500Vから750Vに変わります。箱根湯本駅の小田原寄りには、異なる電圧の架線を接続するために電流を流していない区間のデッドセクションがありますが、営業中の電車が通過することはありません。

箱根登山鉄道の車両は、1919年の開業時から動いているモハ1形から、2014（平成

26）年に登場した3100形「アレグラ号」まで全部で6種類。95歳も歳の離れた電車が一緒に活躍しています。

箱根湯本駅を出発後すぐ、身体がふわっと傾きます。80パーミルの急こう配が始まりました。ケーブルカーなどを除く普通鉄道としては国内で最も急なこう配で、箱根湯本～強羅間に6カ所あります。

険しい山を登るための数々の技術

最初の停車駅、塔ノ沢駅は、標高153m。電車の一番前に立ってみましょう。駅のすぐ先には大ヶ嶽隧道があり、トンネル内はまた80パーミルの上り坂です。線路がものすごい角度で登っていくのが見えるでしょう。

こうした険しい線形に対応するため、車両には特殊な技術が使われています。なかでも重要なのが、停止する技術。箱根登山鉄道の車両には、電気や圧縮空気による制御で制輪子が車輪の踏面を押さえつける電磁直通ブレーキ、モーターで発電し、その抵抗によってスピードを抑える発電ブレーキといった一般的な装置のほか、炭化ケイ素でできた素材を直接レールに押さえつけて停止するレール圧着ブレーキも搭載しています。あらゆる装置を使って、安全に停止することができるのです。

曲線半径30mという路面電車並みの急カーブが点在しているのも特徴です。この急カーブを通過するために車両の長さは14.7mと短めで、レールと車輪との摩擦を緩和するため、撒水装置が搭載されています。最新型の3100形「アレグラ号」が車両間の連結面に大型の窓を設けているのもこの急カーブのためです。ぐぐっとカーブすると、車両の間から箱根の絶景が見えるという工夫です。

塔ノ沢駅を出発し、2つのトンネルを

○現存する日本最古の鉄道橋である早川橋りょうを行く鉄道線の電車。塔ノ沢～出山信号場間*

○大平台駅構内に設けられたスイッチバック。写真右に見えるこう配標には80パーミルであることが記されている。

○箱根登山鉄道といえばあじさいというほど、電車との取り合わせはよく知られる。塔ノ沢駅*

抜けた先の早川橋りょうは、実は明治時代に東海道線の天竜川(てんりゅうがわ)橋りょうに使われていた、現存する日本で最も古い鉄道橋です。秋は紅葉の眺めが美しく、週末になると鉄橋の上でいったん停止してくれます。

列車同士の行き違いだけを行う出山(でやま)信号場（標高222m）、大平台(おおひらだい)駅（同337m）、上大平台(かみおおひらだい)信号場（同346m）と続く3カ所の駅または信号場は、全国でも珍しい3カ所連続のスイッチバックです。塔ノ沢駅から標高436mの宮ノ下(みやのした)駅までは、直線距離2.9kmに対して標高差は283m。通常の鉄道ではとても登れない急こう配となるため、山の斜面をジグザグに走って距離を稼ぎ、少しずつ登っていくのです。進行方向が変わる3つの停車場では、毎回運転士と車掌とが前後を入れ替わり、3回進行方向が変わるため、箱根湯本発車時と強羅到着時では、進行方向が逆になります。

○険しい登坂(とはん)を終え、終点強羅駅に到着した。強羅駅では早雲山(そううんざん)駅に向かうケーブルカーに接続している。*

ぐんぐんと山を登る登山電車ですが、実はほとんどの区間が森の中で、眺望が開ける区間は多くありません。その代わり、沿線にはたくさんのあじさいが植えられています。毎年6月から7月にかけてあじさいは咲き誇り、ライトアップも行われます。

小涌谷(こわきだに)駅の手前で、国道1号の踏切を通過します。ここは、毎年1月2日と3日とに行われる箱根駅伝の通過ルート。当日は踏切に係員が待機し、選手や関係車両の通過が近づくと、電車を止めて待機させます。

終点の強羅駅は、標高541m。わずか15kmで527mも登ってきました。同じ箱根登山鉄道が運営するケーブルカーがすぐ隣から発着し、多くの観光客はケーブルカーとロープウェイとを乗り継いで大涌谷(おおわくだに)や芦ノ湖(あしのこ)へ抜けていきます。

05

富士急行
大月線　大月～富士山間　[営業キロ]23.6km
河口湖線　富士山～河口湖間　[営業キロ]3.0km

[最初の区間の開業] 1929（昭和4）年6月19日／大月～富士山間（大月線）
1950（昭和25）年8月24日／富士山～河口湖間（河口湖線）
[最後の区間の開業] —
[複線区間] なし
[電化区間] 大月～富士山間、富士山～河口湖間／直流1500V
[旅客輸送密度] 5064人（大月線と河口湖線との合算値）

富士山に最も近づく鉄道

富士山は日本を代表する山であり、海外にも広くその名を知られています。東海道新幹線をはじめとして、富士山は多くの鉄道の沿線からその美しい姿を眺めることができますが、この山自体を鉄道で登ることはできません。富士山の山頂を目指すには、すべて徒歩で行くか、または自動車で五合目ですとか新五合目まで行き、あとは歩いて登るのが一般的です。

それでも、富士山のふもとまで近づく鉄道はいくつかあります。この本で取り上げた御殿場線や身延線といった、どちらもJR東海の路線です。特に御殿場線にはその名のとおり裾野駅がありまして、駅名の由来の一つとして富士山の裾野にあるからといわれています。

さて、今回取り上げる富士急行の大月線、同じく河口湖線も富士山の近くを通る鉄道です。大月線の終点であり、河口湖線の起点である富士山駅は富士山の山頂に最も接近します。その距離は約15kmで、富士山の山頂との最短距離は御殿場線、身延線ともに約20kmとなりますので、大月線、河口湖線は最も富士山に近い鉄道といえるでしょう。

大月線の起点、大月駅の入口には鳥居が出迎える。

大月線、河口湖線では、かつてJR東日本の山手線などで使用された205系電車が6000系・6500系と名を改めて活躍している。*

○大月～河口湖間を結ぶ観光列車の「富士山ビュー特急」。富士山のビューポイントとなる場所では案内放送が流れる。

大月線はJR東日本中央線の大月駅を起点とし、富士山駅を終点とする長さ23.6kmの路線、河口湖線は富士山駅を起点とし、河口湖駅を終点とする長さ3.0kmの路線です。それぞれ独立した路線名が付けられていますが、実際には一つの路線であるかのように大月駅と河口湖駅との間を列車は結んでおり、富士急行も2路線を一体化して富士急行線と呼んで案内しています。

それでは大月線、河口湖線の旅を大月駅から始めましょう。中央線と分かれてから急カーブで左に曲がった大月線の列車は、600mほど走ると最初の駅である上大月駅に到着します。この駅を出発しますとすぐにトンネルです。長さは156mあり、都留校トンネルといいます。このトンネルは山を通り抜けるのではありません。トンネル名からわかるように、山梨県立都留高等学校の敷地をくぐっており、地下鉄を除いては建造物の下を通るトンネルは全国を見ても多くありません。

都留校トンネルは1929（昭和4）年6月19日の開業のときからあります。大月線の線路は桂川によって形づくられた狭い谷間に敷かれており、平地はあまりありません。線路を建設しようとしたときにはすでに学校があり、迂回が難しいためにトンネルを掘ったそうです。

大月線、河口湖線を通じてただ1カ所のトンネルとなる都留校トンネルを出ますと、33.3パーミルと急こう配の上り坂が始まります。ただし、しばらくの間、線路は切り通しとなった区間に敷かれているので、周囲の景色を楽しむことはできません。いったん周囲の景色が開けるなか、もう一度切り通し区間へ。そして再び周囲の景色が開けてきたら列車の前方に注目しましょう。富士山が見えてきました。富士山駅に近づくにつれて富士山はどんどん大きくなりますので、その様子も楽しみましょう。

田野倉駅を出て次の禾生駅が近づいたころ、

巨大な高架橋が姿を現し、大月線の列車はその下をくぐります。この高架橋は、JR東海の超電導リニアの車両がテスト走行を行うための、山梨リニア実験線の線路です。JR東海は現在、東京の品川駅と愛知県の名古屋駅との間にリニア中央新幹線を建設中で、開業が予定されている2027年になりますと、この高架橋に営業用の列車が走ります。大月線は山梨リニア実験線と交差するただ一つの鉄道です。また、リニア中央新幹線と地上で交差する鉄道は少ないので、ここでの光景は貴重なものとなるでしょう。

禾生駅のすぐ手前から、中央自動車道の富士吉田線が近づき、右側に並行するようになります。左側は国道139号かまたは市街地で、あまり山岳路線という趣は感じられないでしょう。でもこう配はきつく、ところどころで25パーミルや33.3パーミルの区間が現れ、駅以外で平坦なところはありません。急カーブも多く、大月線の列車はあまりスピードを出さずに走っていきます。

芭蕉、太宰由来の名勝地をめぐる

都留市駅の手前で、中央自動車道の富士吉田線は桂川を渡り、大月線は今度は桂川と並走するようになります。2004（平成16）年11月に開設された都留文科大学前駅を過ぎ、次の十日市場駅が近づきますと、桂川を渡ります。第二桂川橋りょうの直前では右側をよく見てください。三段になった滝が現れます。

この滝は田原の滝といって、江戸時代の俳人、松尾芭蕉が「勢ひあり氷消えては瀧津魚」と詠んだ由緒ある滝です。ただし、当時の滝は年月の経過とともに崩れてしまいました。いま見られる田原の滝は人工的に復元されたものです。

三つ峠駅は大月線の線路に対して北西にそびえる三ツ峠山から取られた駅名で、三ツ峠山登山の玄関口でもあります。標高1785mの三ツ峠山の山頂では、天候に恵まれれば雄大な富士山の眺めを楽しめるでしょう。

『走れメロス』『人間失格』などで知られる小説家の太宰治は、『富嶽百景』のなかで三ツ峠山の山頂を訪れたときの模様を書き残しました。残念ながら、太宰が訪れた当日は霧が深く、富士山は見えなかったそうです。しかし、山頂の茶店で晴れた日の富士山の写真を見せてもらい、「いい富士を見た。霧の

○田原の滝の傍らを「きかんしゃトーマスとなかまたち」のイラストが描かれた「トーマスランド号」が行く。都留文科大学前〜十日市場間

富士急行は大月線、河口湖線に数々の観光列車を取りそろえており、「フジサン特急」もその一員だ。

深いのを、残念にも思わなかった」と記しています。

下吉田（しもよしだ）駅を過ぎますと富士吉田市の市街地に入り、車両基地が見えてきましたら終点の富士山駅に到着です。富士山駅では線路の敷き方の都合で大月線と河口湖線とは一直線に結ばれてはいません。スイッチバックの形態となっていまして、列車は向きを変えて河口湖駅を目指して出発します。線路から見て南南西の方角に富士山が見えていますので注目してください。

河口湖線の線路の周囲も引き続き市街地です。ただ一つの途中駅は富士急ハイランド駅で、線路の左側には富士急行グループが展開する大型遊園地の富士急ハイランドがあります。

引き続き市街地のなかを進み、終点の河口湖駅に到着です。駅名は富士五湖の一つである河口湖にちなんでおり、湖は駅から北へおよそ1kmのところにあります。

晩秋になると、三ツ峠山の山頂から紅葉の尾根越しに雄大な富士山の絶景を体験できる。*

河口湖駅は河口湖線の終点。駅舎の背後に富士山がそびえ立つ。*

JR東日本

八高線

八王子～倉賀野間 ［営業キロ］92.0km

［最初の区間の開業］1931（昭和6）年7月1日／児玉～倉賀野間
［最後の区間の開業］1934（昭和9）年10月6日／小川町～寄居間
［複線区間］なし
［電化区間］八王子～高麗川間／直流1500ボルト
［旅客輸送密度］8941人

高麗川駅を境に異なる姿を見せる路線

JR東日本の八高線は同じくJR東日本中央線の八王子駅を起点とし、やはりJR東日本の高崎線の倉賀野駅を終点とする92.0kmの路線です。2015（平成27）年度の旅客輸送密度は8941人と、本書でローカル線として取り上げる基準を上回っています。ところが、八高線は埼玉県日高市にある高麗川駅を境に八王子駅側と倉賀野駅側とでは大きく異なる姿を見せる路線です。

八王子駅と高麗川駅との間の31.1kmは単線ながら電化されていて、乗ってみれば首都圏近郊の通勤路線という風情をかもし出しています。JR東日本によると、この区間の旅客輸送密度は2017（平成29）年度には2万610人であったそうです。いっぽう、高麗川駅と倉賀野駅との間の60.9kmは雰囲気ががらりと変わり、線路の周囲には緑が目立ち、各所で山越えの区間もあります。JR東日本が発表した高麗川～倉賀野間の旅客輸送密度は3103人（2017年度）でした。本書の基準にも合致しますので、この区間を紹介しましょう。

高麗川駅は倉賀野駅方面のすべての列車が始発、終着となる駅です。このため、八高線の全線を直通する列車は1本もなく、この駅で乗り換えなくてはなりません。

○八高線の電化区間と非電化区間との境界となる高麗川駅。構内や駅前広場は広いものの、駅舎はこじんまりとしている。

○毛呂駅は洋館風の駅舎を備える。駅の西側には埼玉医科大学や同大学病院があり、2017年度の乗降者数は1474人だ。

○埼玉県本庄市の桜の名所、こだま千本桜のかたわらを八高線の列車が通り抜ける。「千本桜」とは文字どおり約1100本の桜並木が続くことから名づけられた。松久～児玉間

電化されていない区間ですから、高麗川駅を出発する倉賀野駅方面の列車に用いられている車両はディーゼルカーです。ディーゼルカーは高麗川駅を出発してしばらくの間は日高市の市街地を走り、高麗川を渡りますと住宅はまばらとなり、やがて現れた20パーミルのこう配の上り坂に挑みます。いま登っていた山の名前は城山といいまして、標高は113mです。山というよりも丘でして、線路の東側のさらに先には大規模な住宅地が造成されていますが、木々が生い茂っていることもあり、八高線の列車からは見えません。

城山越えを終えますと列車は埼玉県坂戸市から毛呂山町に入ります。線路の周囲には住宅が建ち並んでいますが、水田や畑、それにこの地域でよく見られる雑木林と呼ばれるさまざま種類の木が入り混じって生えている林の姿も目立ちます。

毛呂山町にある毛呂駅の周辺は市街地です。でも、列車がこの駅を出発したら左側を注目してください。住宅のすぐ後方に小高い丘が姿を現しているのがわかるでしょう。列車の窓からは見づらいかもしれませんが、丘のある滝ノ入と呼ばれる地区には背の低い木々が立ち並ぶ果樹園が多数あります。果樹園で栽培されているのは柚子です。毛呂山町は全国でも有数の柚子の産地で、桂木柚子という名で知られています。

険しい山越えの後には、広大な平野が広がる

市街地を進む八高線の普通列車は毛呂川を渡ると左にカーブし、曲がり終えると右側に線路がもう1組増えました。よく見るとその線路は電化されています。こちらは東武鉄道越生線の線路です。越生線の線路と1kmほど並走した後、越生駅に到着します。

越生駅のある埼玉県越生町は梅で知られた町です。駅からバスで10分あまりのところ

に越生梅林があり、白梅や紅梅をはじめ約1000本の梅の木が植えられました。茨城県水戸市の偕楽園、静岡県熱海市の熱海梅園と並んで関東三大梅林と称されるほどの規模を誇り、毎年2月の中旬から3月の中旬にかけてそれは見事な花を咲かせます。

2組敷かれていた線路は越生駅から先は再び1組に戻りました。八高線の普通列車は越生駅を出発しますと峠越えに挑みます。坂を上り下りする距離は2kmほどと短いのですが、こう配は20パーミルあってなかなか手ごわいといえるでしょう。線路の周囲も背の高い広葉樹林となって山が深くなったことを感じさせます。

峠越えを終えて明覚駅に着いても気は抜けません。再び4kmに及ぶ峠越えが待ち構えているからです。普通列車は雀川によって形成された谷間を進み、やがてこの川と別れても線路は相変わらず谷間を行きます。列車の左側には標高293mの大峰山、右側には標高286mの物見山の斜面が迫り、山岳路線の趣でいっぱいです。

物見山の山すそを走り抜けますと、急に視界が開け、埼玉県小川町の市街地に入ります。八高線の線路は左にカーブしながら東武鉄道東上本線の単線の線路をまたぎ、広々とした構内の小川町駅に到着です。

小川町駅を出発しますと、東上本線の単線の線路を左に見ながら、約2kmに渡って並走します。八高線の線路は右側へと分かれ、しばらくしてから左に曲がって東上本線の線路をくぐって竹沢駅です。家は建ち並んでいますが、前方には山々が待ち構えています。

竹沢駅を出発しますと3回目となる峠越えです。線路の周囲には背の高い木々が並ぶなか、20パーミルのこう配の坂を2kmあまり登ります。同じ程度のこう配の下り坂はさらに長く、市街地の折原駅を経て次の寄居駅の手前にある荒川橋りょうまでの5km近くです。

寄居駅では先ほど別れた東上本線の線路と再び出合います。山あいの風景は寄居駅までです。この駅から先は、八高線の普通列車は関東平野に築かれた田園地帯のなかを進みます。前方に高崎線の複線の線路が見えてきたら北藤岡駅です。

北藤岡駅を出発した普通列車は高崎線の線路に乗り入れ、八高線の終点、倉賀野駅に停車します。ただし、八高線の普通列車はすべて次の高崎駅が終着駅です。

八高線の線路は広大な関東平野に敷かれ、多くの区間では線路の周囲に田畑が広がる。*

2014年10月6日に八高線は全線が開通してから80周年を迎えた。これを記念してJR東日本は、高麗川～高崎間で使用されているキハ110系ディーゼルカーの塗色を白地に緑から、国鉄時代に塗られていた白地に赤帯へと変更している。*

JR東日本

久留里線

木更津〜上総亀山間　[営業キロ] 32.2km

[最初の区間の開業] 1912 (大正元) 年12月28日／木更津〜久留里間
[最後の区間の開業] 1936 (昭和11) 年3月25日／久留里〜上総亀山間
[複線区間] なし
[電化区間] なし
[旅客輸送密度] 1233人

古き鉄道の面影が漂う路線

JR東日本の久留里線は、JR東日本内房線の木更津駅を起点とし、千葉県君津市の上総亀山駅を終点とする長さ32.2kmの路線です。久留里線のうち、木更津駅と千葉県君津市の久留里駅との間の22.6kmは1912（大正元）年12月28日に千葉県営の軽便鉄道として開業し、1923（大正12）年9月1日に国有化されました。残る久留里駅と上総亀山駅との間は最初から国によって建設され、1936（昭和11）年3月25日に開業しています。長らく国鉄の久留里線という状態が続いていたなか、1987（昭和62）年4月1日に国鉄の分割民営化が実施され、現在のJR東日本の久留里線となりました。

早速、久留里線の旅に出たいところですが、まずは木更津駅に注目してください。久留里線の普通列車が発着する4番線の南側に車庫があるのがわかるでしょう。ここはJR東日本幕張車両センター木更津派出といって久留里線のディーゼルカーが配置されている車両基地です。プラットホームの南の端から車両基地を見ますと、転車台ですとかターンテーブルと呼ばれ、車両の向きを一回転させられる設備が置かれているのがわかるでしょう。

転車台は、基本的に前向きにしか運転できないつくりの蒸気機関車が走っていた時代には欠かせない設備でした。でも、蒸気機関車以外の車両は運転室の位置を前後に設け、転車台がなくても自在に走らせられるようになり、全国的に数を減らしていきます。木更津駅構内の転車台も日常的には用いら

久留里線で使用されるキハE130形ディーゼルカーは、木更津駅構内の幕張車両センター木更津派出と呼ばれる車両基地に配置されている。転車台は写真右奥に設けられた。 著者撮影

○東清川駅のプラットホームからは、一直線に延びる線路、そして直角に交差する水田を見ることができる。*

れていません。でも、ディーゼルカーの検査を行う際、床下に取り付けられた機器の向きを変えるために時折活用されているのです。

なお、久留里線にはほかにも単線区間で列車の通行手形の役割を果たすタブレットですとか、古風な腕木式信号機がつい最近まで現役でした。近年になってこれらは置き換えられましたが、いまも久留里線にレトロな雰囲気が漂っているのに気づくでしょう。

さて、広々とした構内をもつ木更津駅を出発した久留里線のディーゼルカーは千葉県木更津市の市街地を通り抜けていきます。木更津市の人口は2018（平成30）年4月1日の時点で13万4944人で、年々人口が増えている都市です。実は木更津市と神奈川県川崎市との間は自動車専用道路の東京湾アクアラインで結ばれており、木更津駅前を発着する高速バスで東京の都心まで1時間ほどど便利になったため、新しい住宅地が増えました。久留里線の沿線でも木更津駅から次の祇園駅、上総清川駅、東清川駅のあたりまでは新興住宅地が建ち並んで、通勤や通学で利用する人も多いのですが、そこから先の利用者が減ってしまうようで、旅客輸送密度は高くはありません。

久留里城、亀山湖をめぐる

東清川駅を出発しますと住宅地が途切れ、水田地帯のなかを列車は進みます。なかでも注目したいのは横田駅と次の東横田駅との間の1.5kmです。この区間では線路が東西に一直線に敷かれており、しかも10カ所の道路とはすべて直角に交差し、線路の両側に広がる水田もほとんどが長方形となっています。広々とした平地にまず鉄道を敷き、その後に土地を開墾したという場所は北海道ではよくありますが、国内のその他の地域では案外見られません。そのような雄大な景色が東京の都心の中心である東京駅からわずか80kmあまりのところで体験できるというのも驚きといえるでしょう。

東に進んでいた久留里線の線路も前方に山が迫ってきたため、東横田駅からは南の方角に向きを変えていきます。普通列車の周囲に広がる景色は、左側には山のふもと、右側には水田という姿に変わりました。馬来田駅を出発しますと各所で急な上り坂が始まり、こう配はところによって16.7パーミル、下り坂では25パーミルという区間も現れます。

普通列車の周囲を山々が取り囲むようになったころ、久留里駅に到着です。久留里駅のある久留里という場所は、上総武田氏、それから滝沢馬琴の『南総里見八犬伝』のモチー

平地が途切れると、久留里線の列車は険しい山地に分け入る。

駅前に規模の大きな商店街がひかえるものの、久留里駅の駅舎は規模が小さい。

久留里駅の東南東にある久留里城。15世紀半ばに上総武田氏によって築かれたと伝えられ、いま見られる城は1979年に再建されたものである。*

フとなった里見氏などが城を構えた城下町が元となっています。山の上に天守閣が築かれた久留里城は久留里駅から東南東に約2kmの距離です。久留里駅からはバスなどの公共交通機関はなく、しかも山を登って行くことから天守閣までは徒歩で1時間以上はかかるとみたほうがよいでしょう。

久留里駅を出て次の平山駅を出発しますと、それまでとは様相が変わって本格的な山岳路線へと変貌します。うねうねと蛇行する小櫃川がかたちづくった谷間を普通列車は右へ左へとカーブしながら、坂を登るのです。こう配は平山駅と次の上総松丘駅との間は最も急な場所で22パーミル、そして上総松丘駅と次の上総亀山駅との間はさらに険しくなり、25パーミルとなります。

終点の上総亀山駅は開けた場所にあり、あまり山あいという趣は感じられません。でも、徒歩で10分ほどのところには人造湖の亀山湖があり、湖畔に立てば渓谷が姿を現します。また、11月下旬から12月上旬にかけては美しい紅葉に目を奪われることでしょう。

08

JR東日本

外房線　千葉～安房鴨川間　[営業キロ]93.3km
内房線　蘇我～安房鴨川間　[営業キロ]119.4km

[最初の区間の開業] 1896（明治29）年1月20日／蘇我～大網間（外房線）
1912（明治45）年3月28日／蘇我～姉ケ崎間（内房線）
[最後の区間の開業] 1929（昭和4）年4月15日／上総興津～安房鴨川間（外房線）
1925（大正14）年7月11日／太海～安房鴨川間（内房線）
[複線区間] 千葉～上総一ノ宮間、東浪見～長者町間、御宿～勝浦間（外房線）
蘇我～君津間（内房線）
[電化区間] 千葉～安房鴨川間（外房線）、蘇我～安房鴨川間（内房線）／直流1500ボルト
[旅客輸送密度] 3万5460人（外房線）　2万566人（内房線）

外房の海は、御宿駅を過ぎてから

JR東日本の外房線、内房線は千葉県内だけに敷かれた路線です。路線名の由来は房総半島の東側となる太平洋側を外房、西側となる東京湾側を内房と呼ぶことに由来しています。

両路線とも起点の千葉駅、蘇我駅付近では大都市圏の通勤路線の姿をしており、ローカル線にはとても見えません。けれども、千葉県鴨川市にあり、両路線が終点としている安房鴨川駅付近では様子が異なり、列車の本数はまばらとなり、沿線には自然豊かな光景が広がります。

○御宿駅を空から見たところ。外房の海はそう遠くない場所に広がっているが、列車からはなかなか見えない。*

JR東日本が発表した2017（平成29）年度の旅客輸送密度を区間ごとに見ますと、外房線の場合は千葉県茂原市の茂原駅と安房鴨川駅との間が5259人、内房線の場合は君津駅と安房鴨川駅との間が3031人と本巻の基準に合致しているのです。なお、外房線の茂原～上総一ノ宮間は大都市圏の通勤路線に準じたたたずまいを見せていますので、ここでは上総一ノ宮～安房鴨川間、そして君津～安房鴨川間を紹介しましょう。

外房線の旅といいますと、車窓に広がる太平洋の眺めを期待します。でも、上総一ノ宮駅を出発した外房線の普通列車に乗っても海はなかなか見えてきません。線路の周囲はおおむね水田でして、ところどころで小高い丘となり、駅の周囲は市街地となっているところが多いのです。

お目当ての海が望めるようになるのは、上総一ノ宮駅から7駅目の御宿駅を出発してすぐのところとなります。とはいえ、外房線の列車は海岸線をずっと走り続けるということはありません。外房の海岸線は結構複雑で

して、入り組んだ湾と突き出した岬とが繰り返し現れます。線路はこうした海岸線に忠実に沿って敷かれてはいません。ところどころで内陸に入ってしまうからです。加えて山が海岸まで迫るという地形にも影響を受け、平地がないためにトンネルに入る機会も多くなります。

御宿駅の次の勝浦(かつうら)駅は、漁業が盛んな街にある駅です。400年以上の伝統をもつ朝市でも知られ、漁港に水揚げされた魚介類、それに駅周辺で収穫された農産物などが並べられます。朝市は毎週水曜日、それに年始を除いた毎朝6時から午前11時まで開催されます。場所は駅から10分ほど歩いた商店街です。どの通りで開催されるかは1カ月の前半と後半とで変わるので、地元の人に聞いたほうがよいでしょう。

勝浦駅を出発しますと列車の左手に太平洋が現れました。家屋や林に遮られることなく外房線で海を眺められる場所はここだけといってよいのですが、その区間は300mほどしかないので、気をつけていないと見逃してしまいます。

外房線の車窓の楽しみは海ではなく、緑にある。木々や水田の中を行くのは、東京〜上総一ノ宮・勝浦・安房鴨川間を結ぶ特急「わかしお」だ。

外房線の列車は、勝浦〜鵜原(うばら)間でようやく太平洋を望むことができる。*

終点の安房鴨川駅のある鴨川市も大きな漁港のある都市ですが、駅自体は山あいにあるような趣です。休日ともなりますとこの駅には観光客の姿が目立ちます。お目当ては、やはり海でしょう。駅から北東に2kmほどの海岸沿いには海をテーマとしたレジャー施設の鴨川シーワールドがあり、駅から送迎バスで10分ほどの道のりです。

東京湾・三浦半島の絶景を楽しめる内房線

今度は内房線の旅を楽しみましょう。君津駅を出発した列車はしばらくの間、やはり内陸を走り、線路の周囲には水田、それから荒れ地が目立ちます。

君津駅から3駅目の佐貫町(さぬきまち)駅を出てしばらくしますと列車の右側に東京湾が姿を現しました。このあたりは風が強く、しばしば列車が運休となるので防風のための柵が取り付け

内房線佐貫町～上総湊間を行く臨時運転の特急「さざなみ」。東京湾越しに見えているのは神奈川県の三浦半島で、その奥が富士山である。*

られ、やや視界が遮られるようになりましたが、それでも待望の海です。

佐貫町駅の次の上総湊駅を出ますと、海が見える機会はさらに増えます。特に、上総湊駅から次の竹岡駅を経て浜金谷駅までの間です。山が海岸線まで迫るなか、すぐ西側を走る国道127号沿いに東京湾の眺め、そして東京湾越しに見える神奈川県の三浦半島の姿を楽しめるでしょう。

房総半島を南下していた内房線の線路は館山駅で東へと向きを変えます。内陸に敷かれた線路を進むと外房線、内房線を通じて房総半島で最も南に位置する千倉駅に到着しました。館山駅や安房鴨川駅と同様、この駅の周辺もどこか南国の趣をかもし出しており、実際に東京と比べると冬でも温暖な場所です。

千倉駅を出発しますと房総半島を北上します。安房鴨川駅までは路線名に反して外房沿いに線路が敷かれました。この区間は内房線を延長する形で安房鴨川駅まで線路が敷かれたという歴史をもつために、このような不思議な現象が起きたのです。

興味深いことに、外房の海が見える機会は外房線よりも多くなります。特に南三原駅から和田浦駅、江見駅を経て太海駅までの間は比較的長い間海を見ることができるでしょう。

太海駅を出発しますと列車は内陸を走ります。次の駅は終点の安房鴨川駅でして、内房線の線路は外房線とこの駅で結ばれます。

南欧風の駅舎と相まって内房線の館山駅は南国ムードが漂う。*

09

JR東日本

青梅線

立川～奥多摩間　[営業キロ]37.2km

[最初の区間の開業]1894(明治27)年11月19日／立川～青梅間
[最後の区間の開業]1944(昭和19)年7月1日／御嶽～奥多摩間
[複線区間]立川～東青梅間
[電化区間]青梅～奥多摩間／直流1500ボルト
[旅客輸送密度]6万4069人

通勤路線からローカル線に一変する

立川駅と奥多摩駅との間を結ぶJR東日本の青梅線は、青梅駅を境にがらりと姿を変えます。青梅駅までは東京駅方面から10両編成の通勤電車が乗り入れ、沿線は東京近郊の住宅地という趣でしたが、青梅駅から先の電車は4両編成。車両はロングシートの通勤電車ではありますが、多摩川に沿って奥多摩の山々に囲まれた峡谷を走るローカルムードいっぱいの路線です。JR東日本によると青梅～奥多摩間18.7kmの2017（平成29）年度の旅客輸送密度は3979人。大都会の隠れたローカル線といえます。

旅の起点となる青梅駅は、「昭和レトロの町」として有名です。改札口では、漫画家の赤塚不二夫が生み出したキャラクター、「天才バカボンのパパ」がお出迎え。駅周辺には古くからの建物が数多く残り、懐かしい映画看板がたくさん飾られています。また、駅の東北東には、D51形の452号機をはじめ、11両の貴重な鉄道車両が保存されている青梅鉄道公園があります。青梅鉄道公園へは徒歩15分ほどの道のりです。

青梅駅から奥多摩行きの電車に乗りましょう。青梅線は、明治時代中ごろから昭和のは

青梅線のうち、立川～青梅間はJR東日本のなかでも有数の通勤路線だ。10両編成の通勤電車が忙しく行き交う。昭島駅*

「昭和レトロの町」として知られる青梅市を代表する青梅駅。青梅線の様相は青梅駅を境に一変し、西側は峡谷の中を行く山岳路線となる。

じめにかけて、主に私鉄の青梅鉄道が建設した鉄道です。その目的は、多摩川上流で採れる石灰石の輸送でした。明治20年代、最初に開発されたのは、青梅駅の隣、宮ノ平（みやのひら）駅の北西にあった採石場。宮ノ平駅からは、かつては引込線が延びていた採石場の跡を眺めることができます。その後、石灰石の採掘場は二俣尾駅北側の雷電山（らいでんやま）、現在奥多摩駅がある日原川（にっぱらがわ）流域と西へ広がり、そのたびに青梅鉄道は延伸されていきました。

青梅鉄道は青梅線を電化して青梅電気鉄道となった後、戦時中の1944（昭和19）年4月1日に国有化されて国有鉄道の青梅線となります。同年7月1日、現在の奥多摩駅である氷川（ひかわ）駅まで全通。以来、最盛期には石灰石輸送列車が1日20往復も運行される重要路線となりました。その貨物列車も1998（平成10）年に廃止され、いまは拝島（はいじま）駅より奥多摩

○二俣尾（ふたまたお）～軍畑（いくさばた）間に架けられた奥沢橋りょうを通って平溝川（ひらみぞがわ）を渡る。*

駅側を貨物列車が走ることはありません。

日向和田（ひなたわだ）駅から、電車は左に青梅街道と多摩川の渓谷（けいこく）を見ながら進みます。二俣尾駅の先にある長さ106mの奥沢橋りょうは、多摩川支流の狭い谷にかけられた橋りょうで眺望ばつぐん。青梅線きっての撮影地です。

軍畑駅から本格的に地形が険しくなり、急カーブも増加。沿線は狭いV字谷となり、左手に谷を見下ろす景色が続きます。

かつては日本の産業発展に貢献した路線

二俣尾～御嶽（みたけ）間は、青梅電気鉄道が、古くから信仰の対象となってきた御岳山へのアクセス鉄道として建設した区間です。開業は1929（昭和4）年9月1日のこと。少し後にケーブルカーの御岳登山（みたけとざん）鉄道（68ページ参照）も開業しました。御嶽駅の駅舎は、開業当時の木造駅舎がいまも現役。駅周辺のたたずまいは変わりましたが、駅自体の趣は90年前とほとんど変わっていません。駅から多摩川に下りたところが御岳渓谷で、日本を代表する画家、川合玉堂（かわいぎょくどう）の絵画を展示する玉堂美術館もあります。ちょっと途中下車して散策すれば、旅の気分を満喫できるでしょう。

御嶽駅からは、奥多摩電気鉄道が建設した区間となります。日原川の石灰石採掘や、小河内（おごうち）ダム建設の資材輸送などを目的に建設され、完成と同時に国に買収されました。このあたりは半径200mの急カーブや、20パーミル前後の急こう配が続き、山岳路線の趣です。しかし、JR東日本の電車は最新鋭のE233系。こう配を全く苦にすることなく、軽快に登ります。車窓から見晴らす多摩川の渓谷も、一層美しさを増してきました。特に、5月の新緑の季節と、11月の紅葉が見事です。

川井（かわい）駅に到着するころ、左手に見えてくる東京都道45号の近代的な橋は1993（平成5）

多摩川によってかたどられた御岳渓谷へは御嶽駅から。駅を出てすぐのところでも見事な景観が楽しめる。*

年に完成した奥多摩大橋。塔から斜めに張ったケーブルを橋げたに直接つないで支える斜張橋(しゃちょうきょう)と呼ばれる橋で、狭い谷に現れる長さ265mの巨大な橋は、ひときわ印象的です。

川井～奥多摩間はトンネルが増え、トンネルの合間に見えるV字の渓谷はますます深くなります。白丸(しろまる)駅から、全長1270mの氷川トンネルを抜けると、右にカーブして終着の奥多摩駅に到着です。美しい山小屋風の駅舎は1944年の開業当時のもの。当初は氷川駅を名乗っていましたが、1971（昭和46）年2月1日、観光客向けに奥多摩駅と改称されました。

構内の線路がカーブを描く奥多摩駅には、かつて貨物用の側線(そくせん)が多数ありましたが、いまは駐車場に変わっています。プラットホームの先に見える大きな工場は、奥多摩工業氷川工場。御嶽～奥多摩間を建設した奥多摩電気鉄道から改称された企業です。軌道はこの工場の下をくぐり、さらに6.7km先の奥多摩湖畔まで続いています。これは小河内ダムの建設資材運搬用に建設された、東京都水道局の専用鉄道、小河内線の跡。1957（昭和32）年にダムが竣工した後は、観光鉄道化を視野に西武(せいぶ)鉄道に売却されましたが、計画は中止されました。水根(みずね)貨物線跡と呼ばれる鉄道遺構になり、奥多摩工業が所有しています。

山小屋風の駅舎をもつ奥多摩駅。開業当時の様子をいまに伝える。*

石灰石輸送やダム建設など、日本の産業に大きな役割を果たした青梅線は、いまは東京郊外のローカル線として、行楽客や通勤通学客の輸送に活躍しています。

JR東日本・JR東海

中央線

神田～代々木間、新宿～塩尻間、岡谷～辰野～塩尻間（JR東日本）　塩尻～名古屋間（JR東海）

［営業キロ］422.6km（JR東日本247.8km、JR東海174.8km）

［最初の区間の開業］1889（明治22）年4月11日／新宿～立川間
［最後の区間の開業］1983（昭和58）年7月5日／岡谷～塩尻間
［複線区間］神田～代々木間（御茶ノ水～代々木間は複々線）、新宿～普門寺信号場間（新宿～三鷹間は複々線）、岡谷～塩尻間、塩尻～贄川間、奈良井～宮ノ越間、原野～倉本間、十二兼～名古屋間
［電化区間］神田～代々木間、新宿～塩尻間、岡谷～辰野～塩尻間、塩尻～名古屋間／直流1500ボルト
［旅客輸送密度］15万9548人（JR東日本）　2万9698人（JR東海）

塩尻駅
岡谷駅
甲府駅
新宿駅
神田駅
高尾駅
代々木駅
名古屋駅

※中央線として独立した線路をもっているが、法規上、東京～神田間はJR東日本東北線、代々木～新宿間は同山手線である。

明治期に建設された山岳路線

中央線として知られる東京～高尾間は、オレンジのラインが入った快速電車が行き来する、東京西部の大動脈です。しかし、関東平野の西端に位置する高尾駅からは通勤電車のイメージをがらりと変え、急こう配が連続する山岳路線となります。車窓風景も東京近郊の住宅地が続いた高尾駅までとは一変し、緑豊かな山あいの景色になります。特に甲府駅までは、狭い谷を流れる渓流を見下ろしたり、広大な盆地を山の上から見晴らしたりと、変化に富んだ車窓風景を楽しめます。普通列車は、平成時代の初期から活躍している6両編成の電車です。向かい合わせのボックスシートを備えた車両もあり、鉄道旅行らしい気分を手軽に味わえます。本書では、高尾～甲府間を紹介しましょう。

高尾駅を発車すると、すぐに25パーミル前後の急こう配が始まります。次の相模湖駅までの9.5kmの区間で待ち構えているのは、長さ約2600mの小仏トンネルです。標高548mの小仏峠を貫くトンネルで、上り線のトンネル（長さ2574m）は、1901（明治34）年8月1日に中央線の八王子駅と上野原駅との間が開通したときに建設されたトンネルがいまも使われています。

中央線の列車に乗ったら、最前部か最後尾に立って、トンネルの出入口を観察してみましょう。明治時代に建設されたトンネルは、現代のトンネルと比べて断面が小さくつくられています。このため、中央線を走る電車には高さに制限が設けられました。パンタグラフが小さくなった現代の電車ならそのまま通過できますが、以前は、パンタグラフの部分

○中央線高尾～甲府間の普通列車には、JR東日本の211系電車が多数使用される。*

鳥沢～猿橋間に架けられた新桂川橋りょうを特急「かいじ」が行く。*

だけ屋根を低くした電車が走っていました。

高尾～甲府間は1960年代に複線になった区間です。下り列車が走る線路なら、藤野(ふじの)駅と上野原駅との間と、四方津(しおつ)駅と鳥沢(とりさわ)駅との間が明治時代の線路です。高尾駅と藤野駅との間、上野原駅と四方津駅との間のトンネルと比べてみましょう。明治時代に築かれたトンネルはレンガの装飾も美しく、すぐにわかります。

相模湖駅を出発しますと相模川が流れる谷を左に見下ろします。このあたりは相模川が長い年月をかけてつくった、河岸段丘(かがんだんきゅう)と呼ばれる地形です。谷に沿って狭い平地が階段状に並び、田畑や住宅地が形成されています。藤野駅付近は特に狭い谷で、右側に崖(がけ)が迫り、すぐ上を中央自動車道が通っています。

相模川から名を変えた桂川(かつらがわ)を見晴らす景色のハイライトは、鳥沢駅と猿橋(さるはし)駅との間にかけられた長さ513mの新桂川橋りょうです。列車の左右には、桂川の清流とパッチワークのように整然とした田畑が広がる雄大な景色とを楽しめます。

大月駅は四方を山に囲まれている。駅の北東には標高634mの岩殿山(いわどのさん)がそびえ立つ。*

猿橋駅を出発しますと古い導水管をくぐります。これは1907（明治40）年に建設された駒橋(こまばし)発電所の導水管。文明開化期の東京に電気を送った長距離送電の草分けです。大月(おおつき)駅手前で右に見える山には、戦国時代に滅亡直前の武田勝頼(たけだかつより)が目指した岩殿城(いわどのじょう)址(し)があります。この区間の風景には、戦国時代から現代に至るさまざまな歴史が息づいています。

スイッチバックの名残から甲府盆地の絶景へ

大月駅を出発しますと一層険しい上りこう配が始まります。次の初狩駅、その次の笹子駅は25パーミルのこう配の途中に設けられた駅。坂が険しすぎて力の弱い蒸気機関車がけん引する昔の列車はいったん停止すると発進することができず、1968（昭和43）年までスイッチバックと呼ばれる構造でした。これは、急こう配の本線から線路を分岐させて、平坦な場所にプラットホームを設ける方式です。どちらの駅も、スイッチバック時代のプラットホームの跡は現在も残されていて、初狩駅は工事用車両や線路用のバラストを輸送する列車の基地として、笹子駅はプラットホームやトンネル、橋りょうなどの保守作業の訓練を行う施設として利用されています。

初狩駅を出発したら、列車の左側にも注目です。山の間を通る高速道路のような太いパイプ。これはリニア中央新幹線の山梨実験線です。防音シェルターにおおわれていますが、このなかで最高速度時速505kmの超電導リニアが走行試験を行っています。

笹子駅を出発すると甲斐大和駅までに、全長4656mの笹子トンネル（上りの新笹子トンネルは4670m）で笹子峠を抜け、ここから下りこう配となります。甲斐大和駅の先で新深沢第二トンネル（長さ1613m）、新大日影第二トンネル（1415m）という2つの長いトンネルを抜けると、勝沼ぶどう郷駅。ここでは列車左側に注目してください。勝沼ぶどう郷駅は、甲府盆地を見下ろす山の中腹にあり、列車から甲府盆地の広大な景色を一望できます。ここは甲州ワインの産地として知られ、ぶどう畑もいっぱい。線路沿いには桜並木があり、毎年春には美しい桜が咲き誇ります。また、桜並木の下には1968年まで使われていたスイッチバック時代のプラットホームが保存され、遊歩道になっています。

線路は甲府盆地を囲む山沿いを通って、次の塩山駅までに盆地に駆け下ります。地図を見ながら電車に乗ると、地形を巧みに利用して急峻な山地から盆地へと降りていく様子がわかるでしょう。

塩山駅を出発しますとぶどう畑に加えて桃やさくらんぼの果樹園も増え、甲府盆地の平野を一直線に走って甲府駅へ向かいます。高尾～甲府間は普通列車でも1時間半ほどの道のりですが、自然や歴史など、さまざまな要素が詰まった、おすすめのローカル線です。

1997年まで中央線下り線で使用された大日影トンネルは新しいトンネルに切り替えられ、遊歩道として整備された。しかし、現在は閉鎖されている。*

見事な桜並木を横目に特急「あずさ」が勝沼ぶどう郷駅を通過する。桜の木は約600本植えられており、地元の甚六会が育てていることから甚六桜という。*

11

JR東海

身延線

富士～甲府間 [営業キロ] 88.4km

[最初の区間の開業] 1913 (大正2) 年7月20日／富士～富士宮間
[最後の区間の開業] 1928 (昭和3) 年3月30日／市川大門～甲府間
[複線区間] 富士～富士宮間
[電化区間] 富士～甲府間／直流1500ボルト
[旅客輸送密度] 3061人

富士山とは切っても切れない路線

JR東海の身延線はJR東海の東海道線の富士駅を起点とし、JR東日本の中央線の甲府駅を終点とする長さ88.4kmの路線です。

広々とした構内をもつ富士駅の最も北側に設けられたプラットホーム1面が身延線の列車の乗り場です。東海道線の米原駅方面と同じ西に向けて出発した列車は、東海道線と600mほど並走した後、複線の線路は右に分かれていきます。カーブの途中に柚木駅があり、列車の前方に富士山が見えてきました。

柚木駅を出発しますと線路は直線となり、まさに富士山に吸い込まれるように近づきながら次の竪堀駅に到着です。線路の周囲は静岡県富士市の市街地でして、住宅や商店などが多数建ち並んでいます。ローカル線という趣はほとんど感じられません。

竪堀駅を出発しますと長さ100mの潤井川橋りょうで潤井川を渡り、列車は左にカーブしてほどなく東名高速道路をくぐります。富士山は列車の右側で見えるようになりました。

入山瀬駅の手前から25パーミルのこう配の上り坂が始まります。でも、線路の周囲は相変わらず市街地ですので、山岳路線には感じられません。坂を登りながら、新東名高速道路の巨大な高架橋をくぐり、富士根駅、源道寺駅を経て、富士宮駅に到着です。上り坂は富士宮駅の直前まで続きます。

富士宮駅のある静岡県富士宮市はまさに富士山とともに発展してきた街です。駅前のバス乗り場からは富士宮口五合目行きのバスが発着しており、1時間30分ほどの道のりで富士山の登山口にアクセスできます。

もう一つ、富士山にゆかりがあるところとして、富士山本宮浅間大社の名をあげなければなりません。富士山は古来よりたびたび大

○富士山本宮浅間大社の拝殿と本殿。身延線の富士宮駅から歩いて参拝することが可能だ。*

○身延線の列車からは富士山が間近に望める。写真は竪堀～入山瀬間の潤井川橋りょうを行く特急「ふじかわ」。*

噴火を起こしたため、垂仁天皇は垂仁天皇3（紀元前27）年に浅間大神をまつり、山霊を鎮めたことに由来する由緒ある大社です。富士山本宮浅間大社はまた、全国に1300あまりある浅間神社の総本宮でもあります。富士宮駅から徒歩10分ほどで参拝が可能です。

富士宮駅から富士山本宮浅間大社への道中で焼きそば店がいくつか現れたかもしれません。実は富士宮市は「富士宮やきそば」と呼ばれる焼きそばで知られる街です。少々堅めの麺を用い、ラードを絞った後に出る肉かすをあえるのが特徴で、近年は「B級グルメ」として全国に知られるようになりました。

いったん甲府駅方面とは正反対に行く

身延線の線路は富士宮駅から甲府駅までの間は単線となります。とはいえ、沿線の光景がすぐにローカル線の趣に変わるのではありません。線路が地平の上に敷かれた富士宮駅を列車が出発しますとすぐに真新しい高架橋に向かって登り始めます。700mほど続く高架橋は富士宮駅周辺の道路の渋滞を緩和させるために建設され、2012（平成24）年4月に完成しました。

高架橋を降りますと西富士宮駅に到着です。興味深いことに西に進んでいた列車はここから大きく左に曲がり、甲府駅の方角とは正反対の南に向けて走ります。西富士宮駅からそのまま西に行けば5kmほどで稲子駅となりますが、大正時代に線路を敷設した当時の富士身延鉄道は山が険しいために長大なトンネルで通り抜けるルートを選ばなかったのです。

西富士宮駅を出発しますと列車の右側は山

○身延駅の駅舎は、身延山久遠寺をイメージしてつくられた堂々とした建物だ。

○身延山久遠寺の境内には樹齢400年を超えるしだれ桜があり、3月下旬から4月上旬にかけて見ごろを迎える。

○終点の甲府駅に停車中の313系電車。甲府駅にはJR東日本中央線の列車も発着する。*

すそ、左側は田園地帯となり、25パーミルの上り坂に挑みます。2kmほど走ると峠となり、今度はやはり25パーミルの下り坂です。こちらは途中の沼久保駅をはさんで5kmほど続きます。

列車が南に走るのは次の沼久保駅を出てすぐのところまで。ここで線路の前方には富士川が現れ、しばらくの間、この川に沿って今度は北上します。線路は富士川によって形成された狭い谷間に敷かれており、列車の右側は山の斜面、左側は主に水田を中心とした田園地帯です。

甲斐大島駅を出発し、山の斜面が線路の両側に迫りました。山が列車の前方にも現れると同時に長さ526mの和田トンネルに入ります。トンネルを抜けますと市街地が現れ、身延駅に到着です。

身延駅のある山梨県身延町には日蓮宗総本山の久遠寺があります。駅からバスで10分ほどの道のりです。身延山の山麓にある久遠寺駅と山頂にある奥之院駅との間は身延山ロープウェイが7分ほどで結んでいて、山頂から山越しに富士山の眺望を楽しめるでしょう。

こう配が25パーミルに達する急坂はなおも次々に現れます。波高島駅から下部温泉駅、甲斐常葉駅を経て市ノ瀬駅に至る5kmほどの上り坂では、多数の半径300mの急カーブと相まって列車はなかなか速くは進めません。

市ノ瀬駅から久那土駅を経て甲斐岩間駅まで25パーミルの下り坂が終わったと思ったのもつかの間、再び上り坂が始まります。今度の上り坂の長さは、落居駅を経て鰍沢口駅とのほぼ中間付近までの4kmほどです。

長らく続いた山岳区間も、鰍沢口駅を出て天井川の押手川をトンネルでくぐったあたりで終わります。ここから先、駅周辺は市街地、他の場所では水田という光景です。やがて駅と駅との間も市街地が目立つようになります。普通列車は山梨県甲府市に入りました。そのまま走り続け、終点の甲府駅に到着です。

12

秩父鉄道

秩父本線

羽生～三峰口間 [営業キロ]71.7km

[最初の区間の開業]1901（明治34）年10月7日／熊谷～寄居間
[最後の区間の開業]1930（昭和5）年3月15日／影森～三峰口間
[複線区間]なし
[電化区間]羽生～三峰口間／直流1500ボルト
[旅客輸送密度]4627人

貨物列車が行き交う民鉄

秩父鉄道は観光と貨物輸送とで有名な民鉄です。開業当初は秩父盆地で生産された絹織物や木材の輸送を細々と行う小さな鉄道でしたが、大正時代から石灰石やセメントの輸送が発展。最盛期には年間800万トンを超える貨物輸送が行われていました。現在は、年間200万トン前後と減少しましたが、それでも旅客列車を運行している民鉄としては、全国最大の規模を誇ります。

加えて、秩父鉄道は東京駅から最も近い場所でSL列車を運行している鉄道です。SL列車は蒸気機関車のC58形363号機がけん引する「SLパレオエクスプレス」。毎年3月から12月までの週末を中心に熊谷～三峰口間で運行されています。蒸気機関車のC58形363号機は、1944（昭和19）年に製造されて以来、28年にわたって東北地方で活躍した蒸気機関車です。いったん引退した後、1987

秩父鉄道名物の「SLパレオエクスプレス」が荒川橋りょうを通っていく。長瀞～上長瀞間*

(昭和62) 年に本線上を走ることのできる車両として復活しました。1988 (昭和63) 年から30年以上、秩父鉄道を走り続けています。

起点の羽生駅は、東武鉄道伊勢崎線との接続駅。羽生～熊谷間は、北武鉄道が建設し、1922 (大正11) 年に秩父鉄道と合併した区間です。線路は関東平野を貫くようにほぼ一直線に敷かれ、熊谷駅と三峰口駅との間とは雰囲気が大きく異なります。ハイライトは、新郷駅と武州荒木駅との間。どこまでも水田が広がる平野をまっすぐ走り、関東平野の広さを実感できます。

市街地に入ると、埼玉県行田市の行田市駅に到着。行田の街は昔から足袋の生産地として有名です。これは、行田が中山道に近く、また木綿の産地でもあったからです。中山道を行き交う旅人は、ここで良質な足袋を買って長旅に備えたのです。街を歩けば、古い蔵なども数多く残っています。

レトロな雰囲気の熊谷駅から、秩父への旅が始まります。右に広瀬川原車両基地を見て、明戸駅を出発しますと、右手から立派な線路が合流してきます。これは秩父本線の武川駅とJR貨物の熊谷貨物ターミナル駅との間の7.6kmを結ぶ貨物線の三ヶ尻線です。

○旅客列車用の車両として数を増やした7500系電車。東京急行電鉄から譲渡された電車である。

武川駅から影森駅までの間では、すべての駅で列車どうしの行き違いができる構造になっています。この区間ではかつては各駅で旅客列車や貨物列車との行き違いが実施されていたものですが、いまでは貨物列車がずいぶん減ってしまいました。それでも1～2時間に1本は運転されているので、高い確率で貨物列車と出合うことができます。

船下りをはじめ、いくつもの観光が楽しめる

JR東日本八高線や東武鉄道東上本線の列車も発着する寄居駅を出発すると、左右に山が迫ってきました。次の波久礼駅から左に荒川の渓流が近づき、狭い谷底を右に左にカーブを繰り返します。東京の下町をとうとうと流れる大河・荒川と、同じ川とは思えないほどです。

長瀞駅は荒川の急流を船で下る長瀞ライン下りの基地となっています。国の名勝、天然記念物に指定された長瀞渓谷を楽しめ、上長瀞駅と親鼻駅との間にある秩父本線の荒川橋りょうも渡ります。長さ153m、高さ約20mもある荒川橋りょうでは列車から美しい渓谷と秩父連山とを見晴らせ、船からは、その見事な構図を一望できます。運がよければ、橋りょうを走る列車が見えるかもしれません。

和銅黒谷駅は和銅遺跡の最寄り駅。和銅遺跡は、奈良時代に銅が採掘された跡で、ここ

長瀞駅を降りて東に岩畳通りを約300m進むと、全国的にも知られた紅葉の名勝地である岩畳の絶景が目前に広がる。

秩父鉄道のもう一つの顔は石灰石を中心とした貨物運送業務で、旅客列車に混じって多数の貨物列車が運転されている。*

で採掘された和銅によって、日本最初の流通貨幣といわれる和同開珎が鋳造されました。駅のプラットホームには、和同開珎のモニュメントが飾られています。

列車の右側に秩父太平洋セメントの秩父工場が現れ、貨物列車用の側線がずらりと並んでいるのは、貨物駅の武州原谷駅。以前に比べますと貨車の数が減ってしまいましたが、いまでも三ヶ尻線の三ヶ尻駅まで石灰石を輸送する貨物列車が多数運転されています。

列車は秩父盆地の市街地に入り、埼玉県秩父市にある秩父駅に到着です。次の御花畑駅は西武鉄道西武秩父線との連絡駅で、すぐ先に西武秩父駅があります。

秩父の街といえば、毎年12月に行われる秩父夜祭が有名です。絢爛豪華な屋台が市内を回る大祭では、屋台が秩父本線の踏切を通るために電車の運転が止められます。祭の数日前から市内の踏切上の架線を取り外し可能なものに変えておき、祭の当日、屋台通過の直前に架線を撤去。屋台が踏切を渡ると、即座に架線を張り直して、すぐに列車の運転が再開されます。この間、わずか数分。伝統行事のために、プロの技が発揮されるのです。

終点、三峰口駅の構内に設けられた車両基地で休む車両。左から5000系電車、西武鉄道の4000系電車、「SLパレオエクスプレス」用の12系客車だ。*

秩父駅からは山登りの区間となり、最大20パーミルの急こう配区間となります。影森駅は貨物列車の終点で、ここから先はひなびたローカル線の雰囲気。左に分岐して坂を登っていく線路は、秩父太平洋セメント三輪鉱業所へ続く専用側線です。

浦山口駅と武州中川駅との間で浦山橋りょう、次の武州日野駅の手前で安谷川橋りょうと、趣のある鉄橋をいくつか渡り、秩父連山が目の前に迫ってくると終点の三峰口駅に到着です。構内に転車台があり、「SLパレオエクスプレス」が運転される際には、蒸気機関車がここで向きを変える様子を間近に見ることができます。

銚子電気鉄道

銚子電気鉄道線

銚子～外川間　[営業キロ] 6.4km

[最初の区間の開業] 1923（大正12）年7月5日／銚子～外川間
[最後の区間の開業] —
[複線区間] なし
[電化区間] 銚子～外川間／直流600ボルト
[旅客輸送密度] 653人

倒産寸前の路線に奇跡が起きた

銚子電気鉄道の銚子電気鉄道線はJR東日本の総武線の列車も発着する銚子駅を起点とし、終点の外川駅までの間の6.4kmを結んでいます。この路線は全国有数の漁港をもち、また醤油の製造でも知られる千葉県銚子市に敷かれていて、見どころは多いといえるでしょう。

早速、銚子電気鉄道線の旅に出たいところですが、その前にどうしても知っておいてほしい話があります。それは、銚子電気鉄道線というただ一つの路線を所有する銚子電気鉄道の歩んできた苦難の道のりです。

本書でも紹介していることからもわかるとおり、銚子電気鉄道線の輸送人員は年々減り続け、この路線の旅客運輸収入に多くを依存していた銚子電気鉄道の経営は苦境に陥りました。これだけなら全国どこの中小民鉄でも似たような状況でしょう。

ところが、銚子電気鉄道にはさらに深刻な事情がありました。元社長が1億円を超える同社の資金を横領してしまい、もともと苦境に立たされていた同社の経営状況は最悪の状況となり、倒産寸前に陥ります。同じころ、国土交通省からは線路や施設の改善命令が出され、改修しなければ事業の停止という重い処分が科せられることとなりました。改修のための費用は5000万円と見積もられましたが、当時の同社には支払えません。

「もはやこれまでか」と銚子電気鉄道の社員一同が観念しかけたとき、奇跡が起きました。同社が関連事業として始めていたぬれ煎餅を売るため、社員の一人が「ぬれ煎餅を買ってください。電車修理代を稼がなくちゃいけないんです」と同社のホームページに書き込んだのです。悲痛な叫びは人々の共感を呼

笠上黒生駅で銚子行き、外川行き双方の列車が行き違いを行う。電車はどちらも伊予鉄道から譲渡された2000系。伊予鉄道の前には京王電鉄で走っていた。*

地元、銚子市が中心となって結成された銚子電鉄応援団がつくったひまわり畑の中を行く銚子電気鉄道線の列車。君ヶ浜〜犬吠*

び、わずか10日で1万人以上の人々がぬれ煎餅を購入した結果、銚子電気鉄道線ではいまも列車の運転が続けられています。とはいえ、利用者が少なくて赤字続きという状況は変わっていません。銚子電気鉄道線を訪れた際にはぜひとも銚子電気鉄道が販売するぬれ煎餅やグッズ類を購入して支援してほしいと思います。もちろん、ほかのローカル鉄道でも可能な範囲でお願いしたいところです。

銚子駅を出発した列車は加速もほどほどに500m隣の仲ノ町駅に着きました。この駅は銚子電気鉄道線の電車が検査を受けたり、電車を留め置く車両基地の仲ノ町車庫があります。興味深いことに仲ノ町駅の入場券を購入すれば仲ノ町車庫は見学可能です。見学は大がかりな修理や検査がなければ、毎日8時から16時まで見学できるそうで、この機会に普段はできない体験をしましょう。

仲ノ町駅に列車が停止しますと、周囲から醤油の香りが漂ってきます。それもそのはずでして、列車の左側、そして仲ノ町車庫をはさんで右側もヤマサ醤油の工場があるからです。こちらの工場も事前に申し込めば見学できます。車両基地と醤油工場とをまとめて体験するのもよいかもしれません。

文学碑、灯台など、数々のみどころをめぐる

銚子市の市街地は列車が海鹿島駅を出発するころになると途切れがちになり、畑が目立つようになります。海鹿島駅までは東から南東に向けて進んでいた列車の向きは、南南西から南へと変わりました。東に進み続けると太平洋となり、陸地が途切れるからです。

海鹿島駅から東に15分ほど歩きますと太平洋が姿を現します。海岸は海鹿島海水浴場になっており、夏になれば多くの海水浴客を見かけるでしょう。

加えて、海鹿島駅周辺の見どころは文学碑の数々です。駅に近い順にあげますと、小説家、詩人の国木田独歩の詩碑、画家の竹久夢二の詩碑、政治家として知られ、本名は尾崎行雄であった尾崎咢堂の歌碑、画家、俳人の小川芋銭の句碑があります。

海鹿島駅を出発した列車は君ヶ浜駅を経て、犬吠駅に到着しました。駅舎はポルトガルの宮殿を模してつくられた欧風

犬吠駅は銚子電気鉄道線随一の観光拠点であり、異国情緒あふれる駅舎が特徴だ。*

○銚子電気鉄道線の終点、外川駅。帝都高速度交通営団、いまの東京地下鉄からやって来た1000形電車が出発を待っていた。1000形は2016年に営業から退いている。

の堂々としたもので、この駅を目当てに訪れても損はありません。駅舎の中には銚子電気鉄道直営の売店もあり、ぬれ煎餅をはじめとするおみやげはもちろん、ぬれ煎餅の手焼きの風景を見学することもできます。

犬吠駅の東側は太平洋に向かって陸地が突き出した犬吠埼（いぬぼうさき）です。その最も海寄りの場所には犬吠埼灯台があります。レンガづくりの塔をもつ犬吠埼灯台は1874（明治7）年に完成しました。以来、140年あまりの間、強い潮風にさらされながらも太平洋を照らし続け、その重要性はいまも変わることはありません。犬吠埼灯台は見学可能ですので、99段の階段を上って大パノラマを体験するのもよいでしょう。

犬吠埼はまた、山頂や離島を除いて全国で最も早く初日の出を見ることのできる場所です。元日の未明ともなりますと、周辺の道路は交通規制が敷かれます。でも、銚子電気鉄道線を利用すれば初日の出を快適に拝めるに違いありません。

○山頂や離島を除いて全国で最も早く初日の出を見ることのできる犬吠埼の全景。犬吠埼の先端には灯台がそびえ、根本となる付近にはリゾート施設が建ち並ぶ。*

列車は犬吠駅を出発しますと終点、外川駅に到着です。プラットホームの先にはかつてこの路線で使用されていたデハ801という電車が保存されています。平日の9時から15時まで、土・休日の9時から16時30分までの間は車内の見学も無料で可能です。

小湊鉄道

小湊鉄道線

五井～上総中野間 ［営業キロ］39.1km

［最初の区間の開業］1925（大正14）年3月7日／五井～里見間
［最後の区間の開業］1928（昭和3）年5月16日／月崎～上総中野間
［複線区間］なし
［電化区間］なし
［旅客輸送密度］1108人

五井駅を出ると、一気にローカル線に

JR東日本内房線のなかでも、千葉県市原市にある五井駅には通勤電車が多数行き交っています。五井駅の周辺も市街地となっており、住宅や商店などが切れ目なく続くといってよいほどです。

広大な構内をもつ五井駅では、内房線のプラットホームの東側、安房鴨川駅方面に向かう列車から見て左側に多数のディーゼルカーが止まっているのを見ることができるでしょう。これらは今回紹介する小湊鉄道小湊鉄道線の車両です。五井駅には小湊鉄道線の車両基地である五井機関区が併設されており、多数のディーゼルカーが停車しているのもこれでわかるでしょう。

小湊鉄道線はこの五井駅を起点とし、いすみ鉄道のいすみ線の列車も発着する千葉県大多喜町の上総中野駅までの39.1kmを結ぶ路線です。冒頭で説明したとおり、五井駅は大きな街にありますが、果たして小湊鉄道線の沿線はどうなっているのでしょうか。

五井駅を出発した列車はすぐに左に曲がり、内房線の線路と分かれていきます。カーブが終わって直線となるころには五井駅周辺の市街地は早くも途切れてしまいました。周囲はほぼ水田地帯となり、緑が目立つなかを列車は進んでいきます。

最初の駅となる上総村上駅も周囲は水田地帯です。ただし、次の海士有木駅との間では線路の北側に新興住宅地が広がっています。不思議なことに列車はこの新興住宅地を素通りしてしまい、周囲の景色が再び水田地帯に戻ったところで海士有木駅に到着です。

海士有木駅の周囲には住宅などが建ち並んでいますが、先ほどの新興住宅地ほどではありません。となりますと、先ほどの新興住宅地に最も近い場所を選んで駅を設置したいところですが、小湊鉄道にとってはなかなか難

○起点である五井駅の構内に併設された車両基地、五井機関区に留め置かれたキハ200形ディーゼルカー。*

菜の花とこれから田植えを待つ水田の中を小湊鉄道線の列車が通り抜ける。ディーゼルカーが水田に映る姿はまるで鏡のようだ。

しい選択かもしれません。というのも、駅を新たに建設しますと、少なく見ても数億円はかかってしまうからです。

いまのところ、新興住宅地と五井駅との間は小湊鉄道のバスで結ばれています。バスの本数は多く、朝夕の通勤時間帯には10分間隔程度の運行です。住民にとってはバスでもよいのかもしれません。

海士有木駅まで南東に進んでいた列車はこの駅を出発しますと南へと向かいます。9駅先の高滝(たかたき)駅までは基本的には水田地帯、そして駅周辺が市街地です。これらの駅ではやはり海士有木駅から5駅目の上総牛久(かずさうしく)駅が構内の広さ、駅周辺の市街地の規模とも最も大きいといえるでしょう。

上総中野駅方面への列車が海士有木駅に進入しようとすると、すでに五井駅方面への列車が待ち構えていた。海士有木駅に京成電鉄千原線が延伸される構想も立てられているが果たして実現するであろうか。 著者撮影

沿線随一の観光地、養老渓谷を楽しむ

さて、列車が高滝駅を出発しますと、少々趣が変わり、高滝駅と次の里見(さとみ)駅との間では列車は峠を越えていきます。上り坂のこう配は16.7パーミル、距離も1kmに満たない小規模なものですが、周囲の景色は水田地帯から林の中を進む山岳区間へと変わりました。

里見駅を出発しますと、さらに山あいの区間となります。上り坂のこう配は20パーミ

水がゆったりと流れるという特徴をもつ粟又の滝。秋となれば周囲の木々も美しく色づき、多くの観光客が訪れる。*

ルとなり、ディーゼルカーの速度は遅くなり、景色はなかなか変化していきません。線路の周囲には背の高い木々が立ち並び、展望も利かなくなります。

飯給(いたぶ)駅を経て月崎(つきざき)駅までの道のりも似たようなもの。月崎駅を経て上総大久保(かずさおおくぼ)駅を出発しますと、山はさらに深くなり、20パーミルの坂を2km近く登りますと養老渓谷(ようろうけいこく)駅に到着です。

養老渓谷とは養老川によって削り取られて形成された深い谷間を指します。駅からは渓谷を眺めることはできません。でも、駅の南側に向かって500mほどの坂道を下りますと養老川が現れ、休憩施設でその一部を眺めることができます。

本格的に養老渓谷を楽しむのでしたら、養老渓谷駅前から発着するバスを利用しましょう。約15分ほどで養老渓谷随一の景勝地である粟又(あわまた)の滝に到着します。落差30mのこの滝は川の水が100mにわたって滑り台のようにゆったりと流れ落ちる滝です。一般的な滝に見られる荒々しさではなく、穏やかさが感じられ、紅葉の季節には幻想的な光景に感激することでしょう。

小湊鉄道線の山岳区間の景色、そして養老渓谷めぐりを楽しめるよう、小湊鉄道は観光列車の「里山トロッコ」を上総牛久駅と養老渓谷駅との間で走らせています。この列車は蒸気機関車を模したディーゼル機関車が4両の客車をけん引して走るというものです。なかでも注目は開放感あふれるオープンタイプの2両の客車でして、列車がトンネルに入りますと乗客の歓声が響きます。

養老渓谷駅からは最後の、そして最大の峠越え区間です。列車は約2kmにわたって20パーミルのこう配の坂を上り、やはりおよそ2kmの20パーミルのこう配の坂を下ります。坂を下りきりますと終点、上総中野駅です。構内にはいすみ鉄道いすみ線のプラットホームも設けられています。

沿線の風景を楽しめるよう、小湊鉄道は上総牛久～養老渓谷間に観光列車の「里山トロッコ」を走らせている。*

いすみ鉄道

いすみ線

大原～上総中野間 [営業キロ] 26.8km

[最初の区間の開業] 1930（昭和5）年4月1日／大原～大多喜間
（実質的には1912［大正元］年12月15日に開業）
[最後の区間の開業] 1934（昭和9）年8月26日／総元～上総中野間
[複線区間] なし
[電化区間] なし
[旅客輸送密度] 537人

人車軌道を祖先とする路線

いすみ鉄道いすみ線は千葉県いすみ市の大原駅を起点とし、千葉県大多喜町の上総中野駅を終点とする26.8kmの路線です。起点の大原駅ではJR東日本の外房線の列車、終点の上総中野駅では小湊鉄道小湊鉄道線の列車もそれぞれ発着しています。

本巻で紹介したローカル鉄道のうち、いすみ鉄道は国鉄の特定地方交通線に指定されて第三セクター鉄道に転換されたただ一つの路線です。しかも、本巻が対象としている南関東広域で特定地方交通線とされた国鉄の路線もこのいすみ線だけでして、南関東広域の鉄道の旅客輸送密度がいかに高かったかがわかるでしょう。

いすみ線の歴史はとても複雑で一度廃止となっています。最初に開業したのは大原駅といまは大多喜町にある大多喜駅との間でして、実質的には千葉県営の人車軌道線として1912（大正元）年12月15日に開業しました。なお、人車軌道線の「人車」とは、要は車両の動力として人の力を用いるという意味です。

人車軌道線は1922（大正11）年2月20日になって民営化され、夷隅軌道として生まれ変わります。このとき車両もガソリンエンジンを搭載したガソリンカーへと置き換えられることが決まり、翌1923（大正12）年2月から車両は人力ではなくなりました。

同じころ、国土交通省の前身である鉄道省は内房線の木更津駅と外房線の大原駅との間を結ぶ木原線を建設する計画を立て、夷隅軌道は全線で木原線と並行することになってしまいます。結局、夷隅軌道は国有化されることとなり、1927（昭和2）年9月1日に営業を廃止しました。廃止された夷隅軌道の線路は改築され、1930（昭和5）年4月1日に木原線の大原～大多喜間15.9kmとして再スタートを切ります。

○遠く太平洋を背後に見ながら、水田の中をいすみ線のディーゼルカーが駆け抜ける。西大原～上総東*

鉄道省はなおも木原線を延ばし、大多喜駅と総元駅との間の6.4kmを1933（昭和8）年8月25日に、総元駅と上総中野駅との間の4.6kmを1934（昭和9）年8月26日にそれぞれ開業させました。木原線のうち、木更津駅側は本巻でも取り上げた久留里線が該当し、こちらも上総亀山駅まで開業して、残るは上総亀山駅と上総中野駅との間だけとなります。しかし、結局はこの区間は建設されていません。

1980年代に入り、木原線は第三セクター鉄道への転換が決まります。国鉄からいったんJR東日本へと引き継がれた後、1988（昭和63）年3月24日にいすみ鉄道となりました。

蛇行する夷隅川に沿って列車は進む

大原駅を出発した列車は外房線の線路とすぐに分かれ、左に曲がっていきます。駅周辺の市街地を走りますが、列車の左側には丘陵が迫り、新田川を渡って西大原駅に到着です。

西大原駅を出発しますと低いながらも峠越えとなります。上り坂で最も急なこう配は1km未満と短い距離ながら、25パーミルです。これでよく人の力で車両を押すことができたものだと感心します。

峠越えを終えますと上総東駅に到着です。この駅を出発してから再び短い峠越えを終えますとしばらくの間は水田地帯を進みます。

上総東駅の次の新田野駅を過ぎ、その次の国吉駅の手前で渡る川は夷隅川です。ここから先の区間でいすみ線は夷隅川と並走します。夷隅川は蛇行を繰り返している川ですが、いすみ線の線路は川の流れに忠実に沿って敷かれてはいません。ところどころで夷隅川を渡っており、その回数は終点の上総中野駅までの間で、8回に達します。それぞれの橋りょうの長さはどれも100m未満です。

本巻で紹介した外房線、内房線、久留里線、小湊鉄道線と、房総半島の鉄道全体にいえることとして、沿線に咲く菜の花の美しさがあげられます。いすみ線も例外ではありません。いすみ鉄道によると、いすみ線沿線の菜の花は2月中旬から4月中旬にかけて見ごろを迎え、26.8kmのいすみ線のうち、約15kmの区間で楽しめます。

いすみ線沿線ではどこでも菜の花は美しく咲いています。なかでも大原駅から6駅先に

○美しい緑の中、夷隅川を渡るいすみ線のディーゼルカー。久我原～総元間

○満開の桜と菜の花と、幻想的な光景の中を上総中野駅行きの列車がやって来た。久我原～総元間

○大多喜城跡を背景に第四夷隅川橋りょうを通って夷隅川を渡る。朱色一色のディーゼルカーは、JR西日本から購入したキハ52形。国鉄時代に製造されたこともあり、鉄道愛好家の注目度も高い。大多喜〜小谷松間*

ある城見ヶ丘駅とその次の大多喜駅との間では列車の左右に注目してください。菜の花がまるで列車を迎えるかのように線路の両側に咲き誇っており、まるで絵画のような世界が展開されているのです。

ところで、いま名前があがった城見ヶ丘駅からは駅名のとおり、大多喜城を見上げることができます。大多喜城の周りには八重桜が植えられており、こちらは3月下旬から4月上旬にかけてが見ごろです。うまくいきますと、菜の花の中を行く列車、そして八重桜に囲まれた大多喜城という風景を一度に見ることができるかもしれません。

大多喜駅はいすみ鉄道の本社が置かれており、いすみ線の全駅中、最大の規模をもつ駅です。駅からは先ほど取り上げた大多喜城へ歩いて15分ほど。大多喜城は千葉県立中央博物館の分館となっており、大多喜町などから出土した数々の道具類などが展示されています。

○沿線随一の町であり、いすみ鉄道の本社も併設されている大多喜駅。駅名標に記された「デンタルサポート」とは、命名権を購入した企業名である。 著者撮影

列車が大多喜駅の次の駅となる小谷松駅を出発しますと、山あいに築かれた切り土の区間を進むようになりました。小谷松駅の3駅先の総元駅を過ぎますと、25パーミルのこう配の上り坂も現れ、ますます山岳路線の趣が強くなります。

急こう配区間は総元駅の次の西畑駅でほぼ終了です。線路の周囲が開けて水田が目立つ中を進んできた列車は、終点の上総中野駅に到着します。

16

JR東日本

川越線

大宮～高麗川間 [営業キロ] 30.6km

[最初の区間の開業] 1940（昭和15）年7月22日／大宮～高麗川間
[最後の区間の開業] —
[複線区間] 大宮～日進間
[電化区間] 大宮～高麗川間／直流1500ボルト
[旅客輸送密度] 5万5521人

ローカル線の雰囲気の漂う通勤路線

最初にお断りしておかなくてはならないことがあります。それは、これから紹介するJR東日本の川越線はローカル鉄道路線ではないという点です。

埼玉県に全線が敷かれた川越線のうち、起点となるさいたま市の大宮駅と川越市の川越駅との間は10両編成の通勤電車が走っています。JR東日本の東北線、赤羽線、山手線に乗り入れて埼京線という通称で知られる首都圏有数の通勤路線です。JR東日本が発表した2017（平成29）年度のこの区間の旅客輸送密度は8万8962人を数えました。

いっぽう、川越駅と埼玉県日高市にある高麗川駅との間も通勤路線です。JR東日本によると、2017年度のこの区間の旅客輸送密度は1万9587人だそうです。とはいえ、川越～高麗川間にはローカル鉄道の特徴のうち、緑に囲まれたよい雰囲気といったプラスの面があります。そのうえで利用者も多く、鉄道の経営上の問題もほぼないという具合に、まさに理想的な環境といえるのではないでしょうか。本書では、川越～高麗川間を取り扱い

○川越線の列車は川越駅を境に大宮駅方面と高麗川駅方面とで乗り換えが必要となる。写真は高麗川駅から八高線に乗り入れる八王子行きの列車だ。著者撮影

○大宮～川越間は首都圏有数の通勤路線だ。東北線赤羽～武蔵浦和～大宮間、赤羽線、山手線大崎～池袋間と一体となって埼京線と呼ばれる。指扇～南古谷*

○西川越～的場間で入間川を渡る。写真奥に見えている三角形を組み合わせたトラス橋は東武鉄道東上本線の入間川橋りょうである。*

たいと思います。

川越駅を出発した4両編成の通勤電車は川越市の市街地を通り抜けていきます。列車の右側に敷かれた複線は東武鉄道東上本線のものです。500mほど並走しますと今度は西武鉄道新宿線の単線の線路が下に現れ、その上をほぼ直角に交差して通り過ぎます。東上本線の車両修繕施設である川越工場を右手に見ながら、やがて東上本線ともお別れ。川越線の線路単独となって列車は進み、相変わらずの市街地を通って西川越駅に到着です。

西川越駅を出発すると長さ237mの入間川橋りょうとなり、入間川を渡ります。川を渡る際には左側を注目してください。西川越駅側に大きな緑地が見えるでしょう。こちらは川越水上公園といってボートで遊べる池のほか、9種類のプール、それにテニスコートといった施設を備えています。西川越駅から徒歩15分の道のりです。

列車が的場駅、笠幡駅と停車していく間、市街地はずっと途切れません。笠幡駅を出発して、圏央道と呼ばれる首都圏中央連絡自動車道の高架橋をくぐり抜けたあたりから、線路の左右両側に木々が少しずつ見えるようになりました。

○高麗川駅は八高線との乗換駅。写真左は八高線高崎駅方面の列車で、川越駅方面から来た写真右の八高線八王子行きの列車と接続している。著者撮影

樹木の種類は針葉樹で、線路に沿って規則的に植えられているところを見ますと鉄道を自然災害から守る鉄道林と考えられます。この付近では特に冬季に強い風が吹き荒れるので、防風林ではないでしょうか。いずれにせよ、夏には強い日射しから線路を守ってくれますし、何よりも列車の乗客にとっても目の保養となります。

緑を楽しんだところで列車は高麗川駅に到着です。川越駅発の列車は多くが当駅から八高線に乗り入れて八王子駅まで行きます。

JR東日本

成田線

佐倉～松岸間、成田～我孫子間、成田～成田空港間

［営業キロ］119.1km

［最初の区間の開業］1897（明治30）年1月19日／佐倉～成田間

［最後の区間の開業］1991（平成3）年3月19日／成田～成田空港間

［複線区間］佐倉～成田間

［電化区間］佐倉～松岸間、成田～我孫子間、成田～成田空港間／直流1500ボルト

［旅客輸送密度］1万4516人

我孫子駅
佐原駅
成田駅
成田空港駅
佐倉駅
松岸駅

※成田～成田空港間のうち成田線分岐点～成田空港間8.7kmの区間は成田空港高速鉄道が所有。

水田地帯を一直線に横切る路線

JR東日本の成田線は合わせて119.1kmのすべての区間で千葉県内を走っている路線です。路線は3系統あり、佐倉市の佐倉駅と銚子市の松岸駅との間の75.4km、成田市の成田駅と我孫子市の我孫子駅との間の32.9km、成田駅と同じく成田市の成田空港駅間の10.8kmから成り立っています。これらのうち、佐倉駅から成田駅を経て香取市の佐原駅までの40.0km、そして成田～我孫子間、成田～成田空港間は多数の列車が走る通勤路線です。JR東日本が発表した2017（平成29）年度の旅客輸送密度はすべて8000人以上で本巻で取り上げる基準を上回っています。ところが、同社によれば佐原駅と松岸駅との間の35.4kmは3165人と発表されているという具合に、ローカル線の趣が漂う区間ですので、この区間を紹介します。

佐原駅は香取市を代表する駅で、市街地の

○成田線は全線を通してほぼ平坦な区間に線路が敷かれ、多くの場合、水田地帯を一直線に線路が通り抜ける。滑河～下総神崎間

○佐原駅の周辺には江戸時代からの蔵造りの家屋が建ち並ぶ。周囲との調和を目指し、佐原駅南口の駅舎も町屋造りに建て替えられた。*

○佐原駅は鹿島線の起点としての機能も備え、この駅を始発、終着とする列車の多くは南口寄りの0番線から発着する。*

○山小屋風の駅舎をもつ、水郷駅。駅舎内には地元、千葉県香取市の観光施設である小見川ふれあいセンターが併設されている。

ほぼ中心に位置しています。プラットホームは2面あり、成田線の旅客列車が発着するほか、この駅はJR東日本の鹿島線に乗り入れる旅客列車の大多数の始発、終点駅です。また、停車する列車はありませんが、成田線と鹿島線とを直通するJR貨物の貨物列車も1日数本程度ながら運転されています。

さて、佐原駅を出発した列車はしばらくの間は市街地の中を進んでいくため、都会の通勤路線に感じられるでしょう。やがて列車の右側には木々が立ち並ぶようになり、そう高くない丘が見えてきました。一帯は神道山古墳群となっていて、実際に前方後円墳が1基、円墳もいくつかあるそうですが、だれの墓であるかなど詳細はわかっていないそうです。次の香取駅から歩いて30分程度の道のりですので、古代史に興味のある人は行ってみるとよいでしょう。

香取駅は鹿島線の起点でもありますが、この路線の利用者の多くは佐原駅まで乗るようです。このため、香取駅を始発、終点とする列車はありません。この駅を出発しますと、鹿島線の線路は列車の左側に分かれていき、列車もわずかに右に曲がります。列車の左側は住宅や水田、右側は丘という光景が続き、列車は水郷駅に到着です。

水郷駅を出発してしばらく行くと、列車の両側が水田となります。一直線の線路に対して水田は長方形で、線路に対して交差する道路はほぼ直角と、幾何学模様の中を行くのは気持ちのよいものです。こうした光景は松岸駅までの各所で見られます。

ほぼ平坦で直線基調の線路を走ってきた列車の右側に単線の線路が見えてきました。総武線の線路でして、1km近く並走した後、終点の松岸駅に到着です。しかし、成田線の全列車はこの先、総武線の銚子駅まで乗り入れます。

18

JR東日本

南武線

川崎〜立川間、尻手〜浜川崎間、尻手〜鶴見間 [営業キロ] 45.0km

[最初の区間の開業] 1927(昭和2)年3月9日/川崎〜登戸間

[最後の区間の開業] 1973(昭和48)年10月1日/尻手〜新鶴見操車場(現在は新鶴見信号場)間

[複線区間] 川崎〜立川間、八丁畷〜小田栄間

[電化区間] 川崎〜立川間、尻手〜浜川崎間、尻手〜鶴見間/直流1500ボルト

[旅客輸送密度] 15万9992人

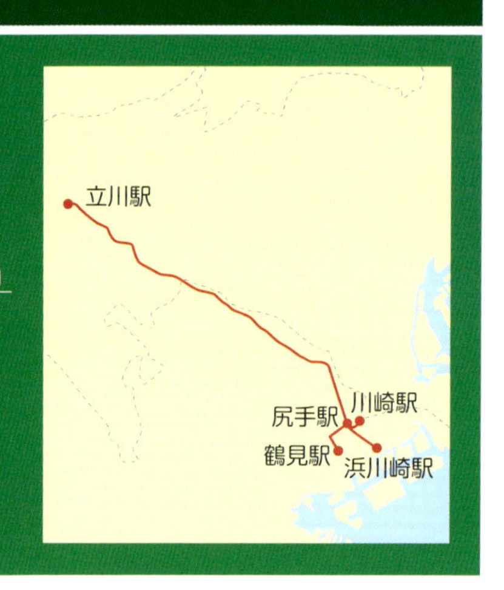

東海道線の貨物線と共存する支線

JR東日本の南武線は、神奈川県川崎市の川崎駅と東京都立川市の立川駅との間を結ぶ路線が本筋の路線といえます。起点である川崎駅の隣、尻手駅から分岐している全長4.1kmの支線が、通称浜川崎支線です。日中は、たった2両編成の電車が約20分間隔で往復する都会の中のローカル線で、主に多摩地区から京浜工業地帯への通勤輸送を担っています。本書では浜川崎支線を紹介しましょう。

尻手駅を出発すると、川崎駅へ向かう南武線の本筋の路線である複線が左に分岐し、右から少々古びた線路が合流してきました。これは、鶴見駅から来た貨物線。浜川崎支線はまた、多摩地区と京浜工業地帯とを直結する貨物線の一部でもあり、JR東日本鶴見線(6~9ページ)で紹介した米軍の航空燃料輸送列車をはじめとする貨物列車が、この線路を行き来しています。

高架橋を駆け上がった列車は、東海道線と直角に立体交差します。まもなく鶴見駅からの東海道線の貨物線が列車の右側から合流し、京浜急行電鉄本線との乗換駅である八丁畷駅に到着です。

先ほど合流してきた東海道線の貨物線は1976(昭和51)年3月1日に開業しました。1973(昭和48)年10月1日までは列車の左側となる川崎駅から合流してくる、やはり東海道線の貨物線もありました。こちらは武蔵野線の完成により、京浜工業地帯からの貨物列車が川崎駅経由で都心に入る必要がなくな

尻手駅は南武線の各方面の列車が集まる拠点駅だ。川崎〜立川間の途中駅であると同時に、浜川崎駅方面、鶴見駅方面それぞれへの支線の起点でもある。

南武線尻手～浜川崎間のうち、八丁畷～浜川崎間は実質的には東海道線の貨物線の一部といえる。この区間には多数の貨物列車が走り、旅客列車のほうが肩身が狭そうに走るほどだ。*

ったために廃止となったのです。いっぽう、鶴見駅からの短絡線の開業によって、東海道線の熱海駅方面から来た貨物列車が、旅客列車を邪魔することなく川崎貨物駅や東京貨物ターミナル駅に入れるようになりました。浜川崎支線は、貨物輸送の歴史を見つめてきた路線なのです。

川崎新町駅の次、小田栄駅は2016（平成28）年3月26日に開業しました。この駅は首都圏のJR東日本の区間のなかで最も新しい駅です。周辺の人口が増えたために設置され、南武線の武蔵小杉駅を経由して都心へのアクセスが便利になりました。ユニークな点は、SuicaなどのICカード乗車券では隣の川崎新町駅と同一駅と見なされることです。通常、駅を新設すると、莫大なお金をかけてコンピューターシステムを変更しなくてはなりません。そこで、隣駅と同じ駅と見なすことで、コストを従来の半分以下に抑えたのです。その代わり、小田栄～川崎新町間だけを乗る場合はICカードは使えません。小田栄駅はコスト削減のため自動券売機もないので、乗車証明書を受け取って下車時に精算する必要があります。

終点の浜川崎駅は鶴見線との乗換駅です。しかし、鶴見線乗り場とは道を挟んで向かい合っており、そのまま改札を出て乗り換えます。うっかり改札機にICカードをタッチすると損をしてしまうので、気をつけましょう。

尻手～浜川崎間で最も新しい駅は小田栄駅だ。川崎市の中心部にもほど近く、周囲には住宅が密集しているので発展が期待される。*

浜川崎駅の駅舎は南武線と鶴見線とで異なる場所に別々にある。初めて訪れると、乗り換えに戸惑ってしまうかもしれない。

流鉄

流山線

馬橋～流山間　[営業キロ]5.7km

[最初の区間の開業]1916（大正5）年3月14日／馬橋～流山間
[最後の区間の開業]—
[複線区間]なし
[電化区間]馬橋～流山間／直流1500ボルト
[旅客輸送密度]4833人

酒やみりんを運んだ流山軽便鉄道がルーツ

流鉄流山線は、千葉県松戸市にあり、JR東日本の常磐線の列車も発着する馬橋駅を起点とし、千葉県流山市の流山駅を終点とする全長5.7kmの路線です。そのルーツは、流山名産の酒やみりんを輸送するために地域の人々がお金を出し合って建設された流山軽便鉄道となります。開業当初は左右のレールの幅を意味する軌間は0.762mでした。その後、常磐線と貨車の規格をそろえるために1.067mへと改められます。

戦後は沿線の宅地化が急速に進み、堅実な経営で知られる鉄道となりました。現在の社名は2008（平成20）年8月1日に総武流山電鉄から改称されたもので、流鉄が正式名称です。

列車はすべて2両編成。電車は西武鉄道から譲り受けたもので、色違いの5編成にはそれぞれ「流馬」「流星」「若葉」「あかぎ」「なの花」という愛称がつけられています。

馬橋駅からしばらくは、住宅街を挟んで常磐線と並走します。最初の停車駅、幸谷駅は常磐線の新松戸駅の目の前。常磐線との乗り

○流山線の起点、馬橋駅で出発を待つ流山行きの列車。車両は5000形・5100形の「あかぎ」で、西武鉄道からやってきた電車だ。*

○鰭ヶ崎駅は直線区間の途中に設けられている。駅の周辺には住宅が建ち並び、朝夕には多くの通勤、通学客でにぎわう。

流鉄には2両編成が5編成の計10両の電車が活躍中だ。写真は「なの花」との愛称をもつ編成。車体は黄色地に黄緑色の帯が入ったものとなっている。

換えは馬橋駅よりもこちらのほうが便利です。

流山線の列車は常磐線と別れ、用水路のような新坂川に沿って北西に進みます。次の小金城趾駅の名前の由来である小金城は、戦国時代に千葉氏の一族から出た高城氏が築いた城です。豊臣秀吉の関東攻め（小田原征伐）で開城するまで、いまの千葉県柏市から同県市川市に至る一帯を支配する際の拠点となった有力な城でした。城の跡は一部が大谷口歴史公園として保存されています。

小金城趾駅から鰭ヶ崎駅を経て平和台駅の手前までの約2kmは、ほぼ直線です。1960年代まで沿線にはほとんど住宅がなく、広大な田園風景が広がっていました。現在は住宅が密集していて、かつての景色をしのぶことはできません。

鰭ヶ崎駅の西南西に向かって約700mのところには、JR東日本の武蔵野線と、首都圏新都市鉄道の常磐新線（通称、つくばエクスプレス）との乗り換え駅である南流山駅があり、流山線の存在を脅かしています。つくばエクスプレスならば都心の秋葉原駅まで最短で23分ほど。流山線と常磐線とを乗り継ぐよりも圧倒的に便利だからです。

平和台駅の手前で、左に見えるショッピングセンターは、かつて流山最大の企業であった東邦酒類の流山工場があった場所。米を使わない合成清酒のメーカーで、平和台駅から工場へは専用側線が敷かれていました。

流山線の終点、流山駅。駅の近くに流山市役所や醤油工場がある。

終点の流山駅は昔ながらの木造駅舎がある駅です。5分ほど歩けば利根川の河川敷に行けます。流山の街は利根川の水運によって発展を遂げてきました。現在も大手醤油メーカー系列の企業が、「万上味淋」と呼ばれる流山みりんを製造しています。

京成電鉄(けいせいでんてつ)

東成田線(ひがしなりたせん)

京成成田〜東成田間
[営業キロ]7.1km

芝山鉄道(しばやまてつどう)

芝山鉄道線(しばやまてつどうせん)

東成田〜芝山千代田間
[営業キロ]2.2km

[最初の区間の開業]1978(昭和53)年5月21日/京成成田〜東成田間
[最後の区間の開業]2002(平成14)年10月27日/東成田〜芝山千代田間
[複線区間]京成成田〜東成田間
[電化区間]京成成田〜東成田間、東成田〜芝山千代田間/直流1500ボルト
[旅客輸送密度]1752人(東成田線)　1452人(芝山鉄道線)

かつての空港アクセス鉄道

成田国際空港は日本を代表する空の玄関です。地下にある成田空港駅(なりたくうこうえき)や空港第2ビル駅にはJR東日本の成田線や京成電鉄(けいせいでんてつ)の本線の列車が多数発着し、多くの人でにぎわっています。

しかし、成田空港周辺にはさらに2つの鉄道があります。京成電鉄の東成田線、芝山(しばやま)鉄道の芝山鉄道線です。

京成成田駅と東成田駅との間を結ぶ京成電鉄の東成田線は、全線7.1kmの路線のうち、京成成田〜駒井野(こまいの)信号場間6.0kmが京成電鉄の本線と重複しています。両者は成田空港の敷地に入る直前で分かれ、本線のほうが左へ分岐し、東成田線は直進していきます。

地下区間に入ると、まもなく東成田駅に到着です。しかし、プラットホームは薄暗く、乗客の姿もまばらです。隣にもう1面プラットホームがありますが、電気が消され、人気(ひとけ)がありません。

よく目をこらすと、もう1面のプラットホームには「なりたくうこう」と記された駅名標があります。実は東成田駅は、1991(平成3)年3月19日に現在の成田空港駅が開業するまで、成田空港駅を名乗っていました。し

東成田線の終点であり、芝山鉄道線の起点でもある東成田駅。かつての成田空港駅で、いまはひっそりと静まりかえる。*

高架橋の上に開設された芝山千代田駅。駅のすぐ南西側は成田空港の敷地となっている。

○芝山鉄道の3600形電車（現在は廃車）を先頭にした京成電鉄本線の京成上野行き特急列車。同社の車両は皆京成電鉄の電車が貸し出されており、前面の緑色の帯が芝山鉄道の保有を示す。*

かし、旅客ターミナルから離れていたため、少々不便だったのです。いっぽうで、東京駅と成田空港駅との間にはかつて成田新幹線の建設が計画され、いまの成田空港駅が先行してつくられたのです。この成田空港駅が、JR東日本と京成電鉄とが使用できるように整備され、それまでの成田空港駅が東成田駅へと改称されました。京成電鉄の空港アクセス列車の「スカイライナー」専用プラットホームとコンコースとは囲いを設けただけで残され、いまも当時の姿を見せています。

東成田駅からそのまま芝山千代田(しばやまちよだ)駅までの2.2kmを結ぶ路線は芝山鉄道の芝山鉄道線です。この路線は、成田空港周辺の人々に対する補償策の一つとして建設されました。ケーブルカーなどを除く一般的な鉄道としては、全国一営業キロの短い路線です。ただし運営は京成電鉄に委託されていて、全列車が京成成田駅方面からの直通列車です。ただし、PASMOなどのICカード乗車券は使えません。自社の車両は京成電鉄からリースされた4両編成1編成しかなく、しかも普段は京成電鉄の金町(かなまち)線などで使われています。

全長2.2kmのうち、半分以上の1.4kmは成田空港直下のトンネルを走ります。地上に出ると、右手に成田空港の駐機場と整備場とが見えてきます。高架橋を駆け上がって、すぐに終点の芝山千代田駅に到着です。プラットホームからは駐機場に並ぶ旅客機を眺めることができます。

○芝山千代田駅から南に2kmほどの道のりで「ひこうきの丘」に着く。成田空港のA滑走路からは600mほどと近く、飛行機の姿が目前に迫る。*

芝山千代田駅から30分ほど歩いたところには、航空科学博物館や離着陸を見られる「ひこうきの丘」があります。乗りもの好きにぴったりな散策コースです。

21

山万

ユーカリが丘線

ユーカリが丘〜公園間　[営業キロ]4.1km

[最初の区間の開業]1982(昭和57)年11月2日／ユーカリが丘〜中学校間
[最後の区間の開業]1983(昭和58)年9月22日／中学校〜公園間
[複線区間]なし
[電化区間]ユーカリが丘〜公園間／直流750ボルト
[旅客輸送密度]1191人

温かみを感じられる新交通システム

山万のユーカリが丘線の旅客輸送密度は、ローカル鉄道路線として本巻で取り上げる基準に合致したため、紹介しています。しかし、この路線は一般的な鉄道とは異なり、輸送規模の小さな新交通システムですので、ローカル鉄道と見なしては失礼ではないかとのご意見ももっともです。実際のユーカリが丘線もローカル鉄道路線というには無理があるかもしれません。

いっぽうで、JR東日本の川越線を紹介した際に記しましたとおり、ローカル鉄道路線という意味合いを利用者の少ない鉄道と取るのではなく、緑豊かな環境を行く魅力あふれる鉄道と考えてほしいと思います。ユーカリが丘線もまた恵まれた立地を行く、個性豊かな鉄道といえるでしょう。

ユーカリが丘線は千葉県佐倉市にあり、京成電鉄本線の列車も発着するユーカリが丘駅を起点とし、公園駅を終点とする4.1kmの路線です。沿線はユーカリが丘線の開業以降に開発されたニュータウンとなっています。

路線の形状はテニスなどのラケットのようです。ユーカリが丘駅から地区センター駅を経て一度公園駅を通り、ここから女子大駅、中学校駅、井野駅と回ってもう一度公園駅に戻ってきます。

ユーカリが丘駅で待ち構えているのは新交通システムの車両です。と聞くと近代的で無機質なイメージをもつと思います。でも、ユーカリが丘線用の車両は丸みを帯びていてどこかユーモラスです。また、新交通システムの多くは自動運転が採用されていて運転士が乗務していないケースが多いのですが、ユーカリが丘線の車両には運転士が乗っていて、

○ユーカリが丘線の起点、ユーカリが丘駅。京成電鉄本線との乗換駅だ。

○「こあら3号」と名づけられた電車がユーカリが丘駅で出発を待つ。電車はほかに3両編成が2編成の6両があり、編成ごとに「こあら1号」「こあら2号」を名乗る。著者撮影

余計に温かみが感じられます。

高架橋を走る列車は大規模なショッピングモールを見下ろしながら、ほどなく地区センター駅に到着です。なお、列車に乗ると「センター」と案内されます。駅名の元となった施設はいま通ったショッピングモールのようで、「地区センター」という施設はありません。

次の公園駅では1面の両側を使用するプラットホームの右側に列車が入線します。「公園」とは列車の左側に見えるユーカリが丘南公園です。

公園駅を出発した列車は右側に整然と建ち並んだ住宅地、左側に水田を見ながら進みます。意外にも途中で高架橋を降りますので、この点も親しみを感じられる一因でしょう。やがて、女子大駅に到着です。この駅は和洋女子大学のセミナーハウスがあることに由来しています。

列車は高架橋で道路を越えた後、再び地平の上に降り、大きく左に曲がって中学校駅です。切り土（きりど）の区間なのでよく見えませんが、列車の右側にある佐倉市立井野中学校に由来して名づけられました。

なおも切り土を進む列車はトンネルに入り、通り抜けますと井野駅です。由来は地名でしょうが、いまは井野という名は中学校名に名を残すのみとなっています。

切り土の区間を抜けて高架橋を上ると公園駅に到着です。列車の向きは180度変わっており、このままユーカリが丘駅に向かいます。

○ユーカリが丘線の電車が走る姿はどこかかわいらしい。線路の中央に見える案内軌条に沿い、電車は決められた線路を走ることができる。*

○女子大駅は、駅の近くに和洋女子大学のセミナーハウスがあることから名づけられた。*

22

御岳登山鉄道

御岳登山鉄道

（正式な路線名はなし）

滝本～御岳山間 ［営業キロ］1.0km

［最初の区間の開業］1935（昭和10）年1月1日
※法規上の開業日は1944（昭和19）年1月1日／滝本～御岳山間
［最後の区間の開業］―　［複線区間］なし
［電化区間］滝本～御岳山間／交流100V・50Hz（車両の照明装置など用）
［旅客輸送密度］1274人

多彩な顔をもつケーブルカー路線

JR東日本の青梅線の御嶽駅からバスで10分ほど山の中に入ったところにケーブルカーがあります。御岳登山鉄道です。

御岳登山鉄道の長さは1.0km。この短い区間で標高にして実に423.6mを登ります。最も急なこう配は470パーミルで、角度にすると最大25度と、日本有数の急こう配を誇るケーブルカーです。山頂にある武蔵御嶽神社の参拝客やハイカーの利用が中心の観光鉄道で、ほかにも地域の生活路線としての顔もあります。神社やその周辺に150人ほどの人々が暮らしており、毎日ケーブルカーを利用して、ふもとの小中学校に通う子どもたちがいるのです。

○滝本駅で出発を待つ「武蔵」号。この車両と同時に御岳山駅を出発する車両は「御嶽」号と名づけられた。

ケーブルカーから滝本駅方面を見たところ。新緑のころならば、一面の青葉が迎えてくれる。*

ケーブルカーは緑の「武蔵」号と赤い「御嶽」号との2両。100本以上のワイヤーを束ねたケーブルを山上からつるし、その両側に車両がつながっています。ワイヤーは2両とも満員になった時の重量30トンをはるかに超える、100トンの重さに耐えられるよう設計されました。運転操作は車両ではなく、山頂にある御岳山駅の機器室で行います。

ふもとの滝本駅からケーブルカーに乗りましょう。屋根に注目してください。架線が張られ、車両にはパンタグラフがあります。普通の電車はここから取り込んだ高圧の電流でモーターを動かして走りますが、ケーブルカーは車体に動力はありません。この架線には家庭用と同じ交流100Vの電気が流れ、車内の照明や細かい機器類のために使われています。

滝本駅を発車してすぐ、高架橋で道路をまたぐと、すぐに最急こう配の470パーミル区間が始まります。車内は22度の角度で乗車できるよう階段状に設計されていますが、それよりも急角度なので、少し身体が後ろに引っ張られるような感覚になります。

中間地点でもう1両のケーブルカーとすれ違ったところで、左側に注目しましょう。架線柱の横に「東京スカイツリー634m」と書かれた札があります。ここは、標高634m地点。海抜ゼロメートル地帯に建つ東京スカイツリーのてっぺんとほぼ同じ高さです。しかし、ケーブルカーはまだ道半ば。ここからさらに標高831mの御岳山駅まで、200m近く登っていきます。

山頂の御岳山駅からは、さらに大展望台までのリフトが接続しています。武蔵御嶽神社までは徒歩20分ほど。魔除け・盗難除けの神である「おいぬ様」こと大口真神などをまつる関東の霊山です。周囲には宿坊もあり、宿泊して神社の神事を体験することもできます。

滝本駅との間の423.6mもの標高差を登り切って終点御岳山駅に到着する。利用者の多くはここから武蔵御嶽神社を目指す。

古く崇神天皇の世に創建されたと伝えられる武蔵御嶽神社は「おいぬ様」こと大口真神などをまつる。*

東京地下鉄

9号線千代田線

綾瀬～代々木上原間、綾瀬～北綾瀬間　[営業キロ] 24.0km

[最初の区間の開業] 1969(昭和44)年12月20日／北千住～大手町間
[最後の区間の開業] 1979(昭和54)年12月20日／綾瀬～北綾瀬間
[複線区間] 綾瀬～代々木上原間、綾瀬～北綾瀬間
[電化区間] 綾瀬～代々木上原間、綾瀬～北綾瀬間／直流1500ボルト
[旅客輸送密度] 35万7215人

回送列車用の線路を営業用に変えた路線

本巻ではさまざまな鉄道を取り上げており、厳密にはローカル鉄道でないものも紹介しています。なかでも最も意外に思われるのは、これから紹介する東京地下鉄の9号線千代田線（以下千代田線）の綾瀬駅と北綾瀬駅との間の2.1km、通称北綾瀬支線ではないでしょうか。

JR東日本の常磐線の列車も発着する綾瀬駅を起点とし、小田急電鉄の小田原線の列車も発着する代々木上原駅を終点とする千代田線の本筋の路線自体は東京の都心部を横断する地下鉄で、旅客輸送密度は35万7215人を数えます。そして、千代田線の本筋の路線は綾瀬駅、代々木上原駅でJR東日本常磐線、小田急電鉄小田原線とそれぞれ相互直通運転を実施していることもよく知られているのではないでしょうか。

いっぽうで、北綾瀬支線は元はといえば、千代田線の車両の車庫や修繕施設である綾瀬車両基地と綾瀬駅との間を結ぶ回送列車用の線路として、1971（昭和46）年4月20日に開業しました。その後、綾瀬車両基地周辺の開発が進んで沿線の人口が増えた結果、この区間にも旅客列車を走らせてほしいとの沿線

○綾瀬駅に停車中の北綾瀬行きの列車（写真左）。その横を通過するのは常磐線の水戸方面の中距離列車だ。

○千代田線の起点、綾瀬駅。JR東日本常磐線の駅でもあるが、駅は東京地下鉄が管理している。

○綾瀬～北綾瀬間を行く千代田線用の16000系電車。営業列車のほか、写真のように車両基地の綾瀬検車区を入出区する回送列車が多数運転される。*

からの要望に、いまの東京地下鉄の前身である帝都高速度交通営団はこたえ、1979（昭和54）年12月20日から営業を始めています。

その後、順調に利用者の数は増え、2012（平成24）年度の国の統計によりますと、この区間の旅客輸送密度も2万5000人余りと多く、ローカル鉄道路線と呼んでは失礼かもしれません。しかし、この区間全体がかもし出す温かみがローカル鉄道のよい部分を体現しているのではないかと考えて、北綾瀬支線を紹介することとしました。

千代田線の起点である綾瀬駅は、基本的にはプラットホーム2面に千代田線の本筋の路線を行く10両編成の列車が3本停車できるようになっています。北綾瀬支線の列車はどこから発着するかといいますと、2面あるプラットホームの南側の1面のうち、JR東日本の常磐線の亀有（かめあり）方面の一部を切り欠いたところで、いかにも後から付け足したとわかる場所に3両編成の列車が発着しているのです。

綾瀬駅を出発した列車は大きく左に曲がり、

○綾瀬駅からわずか一駅先の終点、北綾瀬駅。将来は綾瀬駅の先、代々木上原駅方面の列車が運転されるという。

千代田線本筋からJR東日本の常磐線へと乗り入れる線路をくぐって分かれていきます。北綾瀬支線自体は複線です。でも、列車の左側にもう1組の線路が敷かれていて一緒に曲がります。この線路は電車を留め置くための線路です。

住宅や商店が密集するなか、列車は高架橋をほぼ一直線に北上します。スピードは時速50kmも出ていません。立派な線路をそろりそろりと進みます。やがて列車の左側だけにプラットホームが見えてきました。この駅が終点の北綾瀬駅です。

24

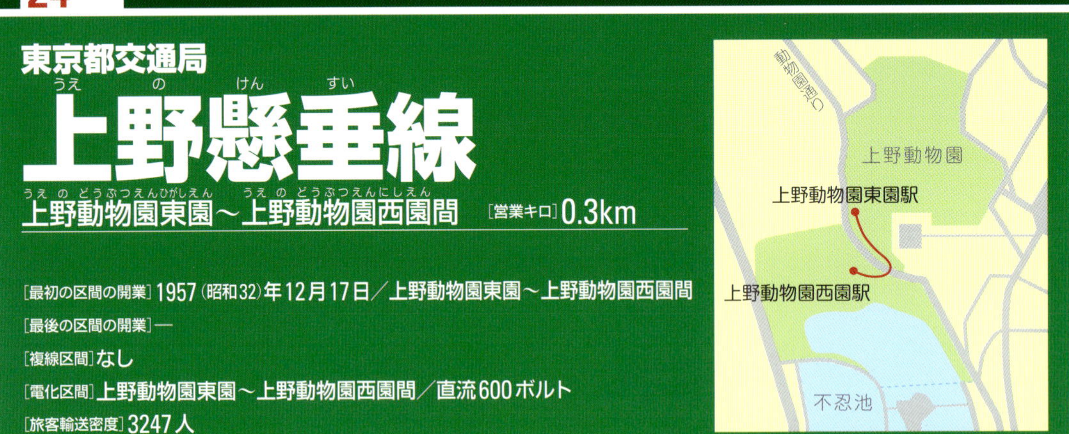

東京都交通局

上野懸垂線

上野動物園東園～上野動物園西園間 [営業キロ] 0.3km

[最初の区間の開業] 1957(昭和32)年12月17日／上野動物園東園～上野動物園西園間
[最後の区間の開業] ―
[複線区間] なし
[電化区間] 上野動物園東園～上野動物園西園間／直流600ボルト
[旅客輸送密度] 3247人

上野動物園のモノレールも立派な鉄道

パンダでお馴染みの上野動物園は、1882(明治15)年に開園した日本で最も古い動物園です。敷地は公道である動物園通りを挟んで東園と西園とに分かれています。そして、東西両園を結んでいるのが東京都交通局上野懸垂線、通称上野動物園モノレールです。一見、動物園付属の遊戯施設のようですが、鉄道事業法に基づく正式な鉄道です。

上野動物園モノレールが開業したのは1957(昭和32)年12月17日のこと。日本で初めて開業した本格的なモノレールです。当時、地下鉄よりも安く建設できるモノレールは、近未来の交通機関として注目されていました。利用者が特に多い区間は地下鉄を建設し、それほど多くはないものの、バスでは渋滞してしまう場所はモノレールを活用する……。東京都はそんな構想をもっていたのです。上野動物園モノレールは本格的な導入に備えた実験線として建設されました。

その後、さまざまな事情からモノレールの本格導入は見送られましたが、動物園や不忍池を上空から見晴らせる上野動物園モノレールは来園者に大人気の乗りものとなりました。路線の長さは300m、乗車時間はわずかに1分40秒ほどですが、いまも年間100万人を超える人々を乗せています。

○上野懸垂線を行く40形電車。2両編成が1編成の2両だけが営業を行っている。

○上野動物園東園駅は上野懸垂線の起点だ。東園にはパンダやゾウ、ゴリラなどがいる。*

○電車は、先端が曲がったフック状の金属によってレールにぶら下がり、レールの上、横に設置されたゴム製のタイヤによって走行する。*

パンダやゾウ、ゴリラなどがいる上野動物園東園駅からモノレールに乗車しましょう。車両は、2001（平成13）年にデビューした40形。開業以来、4代目の車両です。運転士は都営地下鉄のOB。地下鉄運転士の免許をもっていれば、上野動物園モノレールも運転できます。

「♪レラファ#レラファ#ラレ……」

発車と同時に、きれいなミュージックホーン（音楽警笛）が響きました。特急「成田エクスプレス」用のE259系など、JR東日本の特急形電車と同じメロディーです。

○終点の上野動物園西園駅、通称モノレール西園駅。駅の近くにペンギンやカンガルーがおり、南には不忍池がある。*

東園を出発した列車は、しばらく上野公園の森の中を走ります。右にカーブして視界が開けてくると、東園と西園とを隔てる動物園通りをまたぎ、左に不忍池が見えてきます。夏は樹木が生い茂って見晴らしが悪くなるので、冬から春にかけてがお勧めです。モノレールが開業した当時は、公園通りの横を路面電車の都電38系統が通っており、運がよければ都電とモノレールとの競演が見られたそうです。きっと、当時の都民は2つの電車を見て新しい時代の到来を感じたことでしょう。

まもなく終点、上野動物園西園駅に到着です。こちらにはペンギンやキリン、カンガルーなどがいます。

横浜高速鉄道・東京急行電鉄

こどもの国線

長津田～こどもの国間 ［営業キロ］3.4km

［最初の区間の開業］1967（昭和42）年4月28日／長津田～こどもの国間
［最後の区間の開業］—
［複線区間］なし
［電化区間］長津田～こどもの国間／直流1500ボルト
［旅客輸送密度］1万2259人

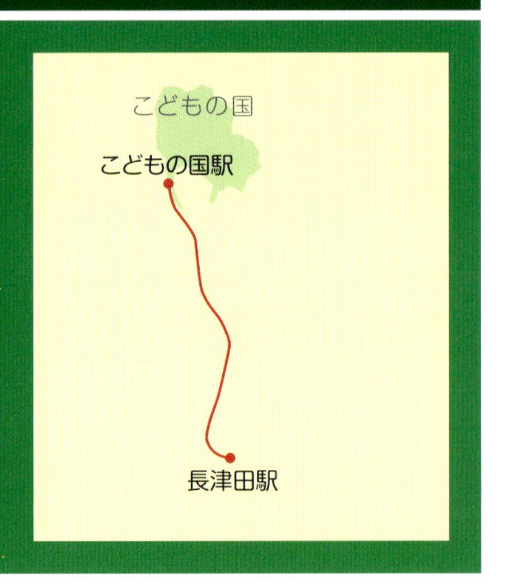

公園へのアクセス路線から通勤路線に

こどもの国線はJR東日本の横浜線や東京急行電鉄の田園都市線の列車が発着する長津田駅を起点とし、こどもの国駅を終点とする3.4kmの路線です。全線が神奈川県横浜市内に敷かれており、途中に1駅、恩田駅が設けられました。

この路線は営業にあたり、「東急こどもの国線」と東京急行電鉄の略称を冠した名前で呼ばれています。利用する分にはこのような認識で構いません。詳しく説明しますと、実際はみなとみらい21線で知られる横浜高速鉄道が線路や施設、車両を所有し、東京急行電鉄が列車の運転を担当する路線です。

鉄道事業の実施方法もさることながら、こどもの国線は成り立ちも複雑といえます。路線名にあるとおり、こどもの国線は終点のこ

○こどもの国線の起点、長津田駅で出発を待つ横浜高速鉄道のY000系。電車は線路の所有者と同じだが、運転は東京急行電鉄の運転士が行う。*

長津田〜こどもの国間にただ一つ設けられた途中駅の恩田駅。周辺の人口が増えたために2000年3月29日に開設された。

どもの国駅のすぐ前に開設された「こどもの国」と密接な関係にある路線です。元はといいますと、1965（昭和40）年5月5日に開園となった自然の中の公園、こどもの国へのアクセスの便を考え、同園を運営するこどもの国協会がこの路線を整備し、東京急行電鉄が列車の運転を担当して、1967（昭和42）年4月28日に開業しました。もともと長津田駅から現在のこどもの国駅付近まで貨物輸送用の専用側線があり、この線路を旅客列車が運転できるように改築したのです。

開業から長い間、こどもの国線の列車の運転方法はこどもの国に合わせたもので、運転時刻も特殊なものでした。たとえば、列車の運転本数は来園者の数に合わせて設定されていましたから、平日よりも土曜・休日のほうが多く、休園日には列車の本数が極端にすくなくなっていたのです。

しかし、沿線の宅地化が進んだ結果、こどもの国線は1997（平成9）年8月1日に通勤路線として生まれ変わります。線路や施設、車両の所有者も横浜市などが出資する第三セクターの横浜高速鉄道に変わりました。

長津田駅を出発した列車は大きく右に曲がり、横浜線や田園都市線と離れていきます。最初は線路の周囲には住宅が建ち並んでいますが、やがて水田地帯が現れました。

列車の右側には車両基地が見えます。東京急行電鉄の車両の検査や修繕を担当する長津田工場です。再び住宅地となり、恩田駅に到着です。

恩田駅を出発しますと、住宅地ながら雑木林もところどころに目立つなかを走るようになります。列車の右側前方にひときわ大きな丘陵が見えませんか。これがこどもの国です。列車はこどもの国に吸い込まれるようにして、終点こどもの国駅に着きました。

こどもの国駅は週末や大型連休となると、こどもの国への来場者で大いににぎわう。

こどもの国駅で出発を待つ長津田行きの列車。列車の右後方に見えるのがこどもの国である。*

●著者略歴
梅原 淳（うめはら・じゅん）

1965年生まれ。三井銀行（現在の三井住友銀行）、月刊「鉄道ファン」編集部などを経て、2000年に鉄道ジャーナリストとして独立。『ビジュアル 日本の鉄道の歴史』全3巻（ゆまに書房）『JRは生き残れるのか』（洋泉社）『定刻運行を支える技術』（秀和システム）をはじめ多数の著書があり、講義・講演やテレビ・ラジオ・新聞等へのコメント活動も行う。

ワクワク!! ローカル鉄道路線（てつどうろせん）
南関東広域編（みなみかんとうこういきへん）

2018年10月31日　初版1刷発行

著者　梅原 淳（うめはら じゅん）
執筆協力　栗原 景
発行者　荒井秀夫
発行所　株式会社ゆまに書房
東京都千代田区内神田2-7-6
郵便番号　101-0047
電話　03-5296-0491（代表）

印刷・製本　株式会社シナノ
本文デザイン　川本 要
©Jun Umehara 2018　Printed in Japan
ISBN978-4-8433-5331-8 C0665

落丁・乱丁本はお取替えします。
定価はカバーに表示してあります。